KB167527

누가 버지니아 울프를 두려워하랴?

Who's Afraid of Virginia Woolf?

WHO'S AFRAID OF VIRGINIA WOOLF?
by Edward Albee

세계문학전집 247

누가 버지니아 울프를 두려워하랴?

Who's Afraid of Virginia Woolf?

에드워드 올비

강유나 옮김

민음사

리처드 바와 클린턴 와일더에게

차례

등장인물

마사 덩치 크고 사나운 여인. 52세이지만 다소 젊어 보인다. 풍만하나 지나친 편은 아니다.

조지 마사의 남편. 46세로 말랐으며 머리가 세는 중이다.

허니 26세이며, 자그마한 몸매에 금발이고 평범한 얼굴이다.

닉 30세로 허니의 남편. 금발에 몸매가 좋고 잘생겼다.

무대 뉴잉글랜드 소재 작은 대학 캠퍼스 내 사택의 거실

일러두기

원문에서 강조를 위해 이탤릭체와 대문자로 표기한 부분은 각각 고딕체와 볼드체로 옮겼다.

1막
재미난 게임

어둠 속. 현관문에 부딪치는 소리. 마사의 웃음소리 들린다. 현관문이 열리고 불이 켜진다. 마사가 들어오고 조지가 뒤따라 들어온다.

마사　젠장…….

조지　……쉬잇…….

마사　……빌어먹을…….

조지　제발 마사. 새벽 2시야…….

마사　오, 조지!

조지　글쎄, 알았으니까…….

마사　얼간이! 당신은 진짜 얼간이야.

조지　늦었다고. 한밤중이야.

마사　(방을 둘러본다. 베티 데이비스*처럼) 쓰레기 같으니라고. 그 말이 어디서 나온 거지? "쓰레기 같으니라고!"

조지　내가 그걸 어떻게…….

마사　참 나! 어디서 나온 거냐고! 거 왜 있잖아…….

조지　……마사…….

마사　**젠장, 그게 어디서 나온 거냐니깐?**

조지　(맥없이) 뭐가 어디서 나와?

마사　방금 말했잖아. 지금 막. "쓰레기 같으니라고!" 응? 그게 어디서 나온 거지?

조지　대체 무슨 말인지…….

마사　멍청이! 빌어먹을 베티 데이비스 영화에 나왔잖아……. 엿 같은 워너브라더스 영화 중에…….

조지　내가 그 모든 영화들을 어떻게 다…….

마사　누가 당신더러 엿 같은 워너브라더스 영화를 모두 다 기억하라고 했냐고……. 그중 하나야! 그중 딱 하나! 마지막에 베티 데이비스가 복막염에 걸리는 거……. 영화 내내 엄청나게 큰 시커먼 가발을 쓰고 돌아다니다가 복막염에 걸리고 조셉 카튼인지 어떤 물건인지하고 결혼하는 거…….

조지　……어떤 사람인지하고…….

마사　……어떤 사람인지하고……. 그리고 왜 영화에서 내내 시카고에 가고 싶어 했잖아. 얼굴에 상처 있는 남자를 사랑해서……. 그런데 병이 나서 화장대 앞에 앉아서는…….

조지　무슨 남자? 무슨 상처?

---

* 1930~1940년대 영화와 연극에서 종횡무진으로 활약한 미국 여배우.

마사 그 남자 이름이 기억 안 나, 젠장. 그 영화 제목이 뭐지? 제목이 생각 안 나 미치겠군. 베티 데이비스가 화장대 앞에 앉았는데…… 복막염에 걸려서…… 입술에 립스틱을 바르려고 하는데 못하고…… 얼굴 전체에 범벅이 되도록 처바르지……. 그래도 시카고에 가기로 결심을 하고…….

조지 「시카고」! 「시카고」다!

마사 응? 뭐가?

조지 영화 말야……. 제목이 「시카고」라고…….

마사 이런 젠장! 도대체 제대로 아는 게 뭐가 있어? 「시카고」는 30년대 뮤지컬이야. 앨리스 페이가 나온다고. 대체 뭘 제대로 아는 거야?

조지 내가 물정을 알기 전인가 보네, 그럼…….

마사 닥쳐! 닥치라고! 이 영화에서는…… 베티 데이비스가 힘겹게 장을 봐 와서…….

조지 그 여자가 식품 가게에서 일해?

마사 가정주부야. 물건들을 사서…… 먹을거리를 사 들고 집에 와서 점잖은 조셉 카튼이 마련해 둔 점잖은 집의 점잖은 거실로 들어와서…….

조지 둘이 결혼했어?

마사 (안달하며) 그래. 결혼했어. 둘이. 멍청이! 그래서 그 여자가 집에 들어와 주변을 둘러보고 먹을거리를 내려놓고는 이렇게 말해. "쓰레기 같으니라고!"

조지 (사이) 아.

마사 (사이) 불만에 가득 찬 거지.

조지　(사이) 아.

마사　(사이) 그래서 그 영화 제목*이 뭐냐고?

조지　정말 모르겠는데, 마사…….

마사　그럼 생각해 봐!

조지　여보, 피곤해……. 늦었고…… 게다가…….

마사　당신이 뭐가 그리 피곤하다는 거야……. 하루 종일 아무것도 한 게 없으면서. 수업을 했나 뭘 했나…….

조지　그런데 피곤해……. 장인어른이 토요일 밤마다 빌어먹을 야단법석을 꾸미지 않는다면…….

마사　흐음, 그거 참 안 됐네, 조지…….

조지　(툴툴대며) 어쨌든, 그러니 그런 거지.

마사　당신은 아무것도 한 게 없어. 도대체 뭘 하는 게 없지. 절대 섞이지도 않아. 그냥 앉아서 수다만 떨어.

조지　내가 어떻게 해야 되는데? 당신처럼 행동하기를 원해? 밤새도록 돌아다니며 당나귀처럼 시끄럽게 소란 떨어야 하는 거야? 당신처럼?

마사　(당나귀처럼 소리 지르며) **난 당나귀처럼 시끄럽게 굴지 않아!**

조지　(부드럽게) 그래…… 당나귀 같지 않아.

마사　(기분이 상해서) 난 당나귀가 아니라고.

조지　그래. 당나귀 같지 않다고 했어.

마사　(입을 삐죽거리며) 한잔 만들어 줘.

조지　뭐라고?

---

* 1949년작 「숲을 넘어서(Beyond the Forest)」.

마사 (여전히 부드럽게) 한잔 만들어 달라고 했어.

조지 (카운터로 가면서) 흠, 자기 전 한잔 정도는 나쁘지 않겠지…….

마사 자기 전 한잔이라니! 무슨 소리야? 손님이 있는데.

조지 (미심쩍게) 뭐가 있다고?

마사 손님. **손님.**

조지 **손님!**

마사 그래…… 손님…… 사람들…… 손님이 오기로 되어 있다고.

조지 언제?

마사 **지금!**

조지 하느님 맙소사, 마사…… 지금이 몇신데…… 대체 누가 온다는 거야?

마사 거시기 뭐시기.

조지 누구?

마사 **거시기 뭐시기!**

조지 거기시 뭐시기가 누구야?

마사 나도 몰라, 여보……. 오늘 밤 본 사람들이야……. 새로 왔는데…… 수학과라나 뭐라나…….

조지 누구…… 누구라고?

마사 조지, 당신도 오늘 밤에 본 사람들이라니까.

조지 오늘 밤 누구를 봤는지 전혀…….

마사 글쎄 봤다고……. 술 좀 줘……. 수학과에 있고…… 나이 서른쯤 되고, 금발에…….

조지 ……미남이고…….

마사 그래…… 미남이야…….

조지 알 것 같군.

마사 ……마누라는 작은 생쥐같이 생겼는데, 엉덩이가 절벽이야.

조지 (막연하게) 아.

마사 이제 기억나?

조지 그런 거 같아……. 그런데 대체 무슨 일로 지금 여기에 온다는 거야?

마사 (태연자약한 목소리로) 그 사람들에게 잘해 줘야 한다고 아빠가 그랬거든.

조지 (좌절) 아이고 맙소사.

마사 내 술은? 우리가 그 사람들에게 잘해 줘야 한다고 아빠가 그랬어. 고마워.

조지 그런데 왜 지금이야? 새벽 2시가 넘었는데…….

마사 우리가 그 사람들에게 잘해 줘야 한다고 아빠가 말했으니까!

조지 알았어. 그렇지만 우리가 그 사람들과 온밤을 꼴딱 새워 가며 같이 있어야 된다는 뜻은 아닌 것 같은데. 언제 일요일 같은 때 오라고 할 수도 있고…….

마사 아, 신경 쓰지 마……. 게다가 오늘이 일요일이잖아. 일요일 아주 이른 시간이지.

조지 황당하고만…….

마사 글쎄, 이미 끝난 얘기야!

조지 (체념하지만 약이 올라서) 좋아. 그래……. 그 사람들이 어디 있다는 거야? 손님이 왔다면서 어디 있는 거냐고?

마사　곧 도착할 거야.

조지　여태 뭐 했는데……. 집에 가서 잠 좀 자고 그다음에 온다는 거야 뭐야?

마사　곧 온다고!

조지　무슨 일이 있으면 얘기 좀 해 주면 좋겠어, 당신……. 항상 불쑥 통고하는 것 그만하면 좋겠다고.

마사　항상 당신에게 불쑥 통고하지 않거든.

조지　아니, 당신 그래……. 항상 그래……. 언제나 갑자기 확 들이대지.

마사　(생각해 주는 척) 아이, 조지!

조지　항상 그러지.

마사　불쌍한 조지 어린이, 부뚜막에 앉아 울고 있어요! (조지는 시무룩하다.) 애개개…… 왜 그래? 삐쳤어, 자기? 어디 봐…… 삐쳤구나? 그런 거야?

조지　(아주 조용하게) 신경 꺼, 여보…….

마사　애개개!

조지　신경 쓰지 말라고…….

마사　애개개! (반응이 없다.) **이봐!** (반응 없다.) 이봐!
(조지가 걸려들어 쳐다본다.)
이보라고. (노래한다.) 누가 두려워하랴, 버지니아 울프,
버지니아 울프,
버지니아 울프…….
하, 하, 하, **하!** (반응이 없다.) 왜 그래……. 재미있지 않아? 응? (달려들 듯) 난 무슨 악쓰는 소리인 줄 알았어……. 진짜 악쓰는 거. 당신도 싫었지, 응?

조지 괜찮았어, 여보…….

마사 파티에서 당신 이 노래 듣더니 뒤로 자빠지게 웃더군.

조지 미소 지었어. 뒤로 자빠지게 웃지 않았어……. 미소 지었다고……. 괜찮았어.

마사 (술잔을 응시하며) 당신 뒤로 자빠지게 웃었어.

조지 ……괜찮았어…….

마사 (보기 싫게) 악을 쓰더라니까!

조지 (참을성 있게) 아주 재밌었어. 그래.

마사 (잠시 생각하다가) 당신은 밥맛이야!

조지 뭐라고?

마사 흥……. 당신은 밥맛이라고!

조지 (생각하다가) 듣기 좋은 말은 아니군, 여보.

마사 듣기가 뭐 어떻다고?

조지 ……좋은 말은 아니라고.

마사 당신은 화낼 때가 좋아. 당신은 화낼 때가 제일 멋있어. 당신은 진짜…… 끝내주는 머저리야! 당신은 그…… 그…… 그것도 없어? 그…… 뭐지?

조지 배알?

마사 **말은 잘 한다!** (사이…… 같이 웃는다.) 이봐, 내 술잔에 얼음 좀 더 넣어 줘. 내 잔에는 절대 얼음 안 넣더라. 왜 그러는 거야, 엉?

조지 (마사의 술잔을 가져가며) 당신 술잔에 항상 얼음 넣거든. 그런데 당신이 다 먹어 버리는 거야. 당신은 꼭 강아지처럼…… 얼음을 씹어 먹는…… 이상한 버릇이 있어. 그러다 이가 나갈 거야.

마사 **내 이빨이거든!**

조지 이 몇 개…… 그중 몇 개.

마사 당신보다는 내 이가 더 많아.

조지 두 개 더 많지.

마사 음, 두 개 더는 아주 많은 거지.

조지 그렇겠지. 놀라운 일이지……. 당신 나이를 생각하면 그렇지.

마사 **닥치지 못해!** (사이) 당신도 그렇게 젊지 않거든.

조지 (짓궂은 소년처럼…… 노래한다.) 난 당신보다 여섯 살 어리죠……. 항상 그랬죠, 앞으로도 그럴 거죠.

마사 (뚱하게) 흐음……. 당신은 머리가 벗겨지고 있지.

조지 당신도 그렇지. (사이…… 같이 웃는다.) 안녕, 자기.

마사 안녕. 이리 와서 엄마랑 진하게 키스 한번 해 보자고.

조지 ……아, 지금은…….

마사 **진한 키스 한번 해 보자니까!**

조지 (딴생각하느라) 난 키스하고 싶지 않아, 여보. 대체 이 사람들은 어디 있는 거야? 당신이 초대한 이 사람들은 어디 있는 거냐고?

마사 아빠와 얘기를 더 하고 있는 게지……. 곧 올 거야……. 왜 키스하기 싫다는 거야?

조지 (아주 태연자약하게) 으음, 그건 말이지, 내가 당신과 키스하면 난 온통 달아올라서…… 내 정신이 아닐 테고, 그러면 우격다짐으로 당신을 여기 거실 바닥에다 자빠뜨릴 텐데 우리 손님들이 들어오면…… 장인어른이 그걸 보고 뭐라고 하실지 생각이나 해 봐.

마사 짐승!

조지 (오만불손하게) 꿀꿀! 꿀꿀!

마사 하, 하, 하, 하! 자기야…… 나 한 잔만 더.

조지 (술잔을 가져가며) 맙소사, 걸신들린 듯 마셔 대는군.

마사 (어린아이 흉내를 내며) 목말라쪄.

조지 아이고 맙소사!

마사 (한 바퀴 돌며) 자기야, 당신만 원한다면 어디서든 당신을 삼켜 줄게……. 난 짱짱해!

조지 마사, 몇 년 전에 상을 줬지……. 혐오상 시상식은 이제 없어…….

마사 맹세컨대…… 당신이 실존한다면 난 당신과 이혼했을 거야…….

조지 으음, 두 발로 버티고 잘 서 있기나 해……. 이 사람들은 당신 손님들이니까…….

마사 당신은 보이지도 않아……. 몇 년간이나 당신은 눈에 보이지도 않았어…….

조지 ……당신이 기절하거나 토하거나 아니면…….

마사 ……당신은 빈칸이고 제로야…….

조지 …… 그리고 옷 좀 제대로 입도록 해 봐. 당신이 두어 잔 걸치고 치마를 머리 꼭대기에 뒤집어쓰고 있는 꼬락서니보다 더 역겨운 광경은 별로 없거든.

마사 ……가치 없는 존재…….

조지 ……'머리끄덩이에'라고 해야 하나…….

(현관 벨이 울린다.)

마사　파티다! 파티야!

조지　(잡아먹을 듯이) 진짜 기대되는군, 여보…….

마사　(마찬가지로) 가서 문이나 열어.

조지　(움직이지 않고) 당신이 열어.

마사　당신이 열어.

(조지, 움직이지 않는다)

내, 당신 손 좀 봐 주지…….

조지　(침을 뱉는 시늉) ……당신이야말로…….

(현관 벨이 다시 울린다.)

마사　(문에다…… 소리를 지른다.) **들어와!** (이를 악물고 조지에게) 가 보라고 했어!

조지　(문간으로 움직이며 슬그머니 미소 짓는다.) 좋아, 여보…… 당신이 원하는 거라면 뭐든지. (멈춘다.) 제발 먼저 날뛰지나 말라고.

마사　날뛰어? 날뛰어? 무슨 말투가 그래? 무슨 소리를 하는 거야?

조지　날뛴다고. 제발 날뛰지 말라고.

마사　제길, 당신 학생 말투를 흉내 내는 거야? 무슨 수작을 하는 거야? 뭘 날뛰어?

조지　아이 얘기로 먼저 날뛰지 말라는 소리야.

마사　날 뭐로 보는 거야?

조지　너무 많이 너무 크게 보는 거지.

마사　(정말 화가 나서) 아, 그래? 맘이 내키면 아이 얘기로 먼저 날뛸 수도 있지.

조지 아이 얘기는 빼자고.

마사 (협박조로) 아이는 당신 거지만 내 것이기도 해. 원한다면 내가 시작할 수도 있지.

조지 그러지 말라고 하고 싶군, 여보.

마사 그래, 잘났어. (노크) 들어와요. 가서 문 열어.

조지 충고 들은 거지?

마사 좋아. 그래. 가 봐.

조지 (문으로 가며) 좋아, 여보…… 당신이 원하는 거라면 뭐든지. 하지만 요즘 같은 세상에서도 예의범절을 갖추는 게 보기 좋지 않아? 안에서 짐승이 으르렁거리는 소리를 들어도 다른 사람 집을 뜯고 들어오지 않는 사람이 있으니 얼마나 좋으냐고?

마사 **나가 뒈져!**

(마사의 마지막 대사와 동시에 조지가 현관을 벌컥 열어젖힌다. 입구에 허니와 닉이 보인다. 잠깐 침묵이 흐른 후)

조지 (겉으로는 허니와 닉을 반기는 시늉을 하지만, 실은 그들이 마사의 광분을 듣게 되어 적이 만족스럽다.) 이야!

마사 (좀 지나치게 소란스럽게…… 무마하려고) 안녕! 안녕하세요……. 어서 오세요!

허니, 닉 (즉흥적으로) 안녕하세요, 저희 왔어요…… 반가워요…… 등등.

조지 (태연자약하게) 우리 손님들이시군.

마사 하, 하, 하, 하! 거기 못난 인간은 무시하시고. 들어와요, 친구들……. 코트 같은 것들은 저 못난이에게 넘겨주시고.

닉 (별 표정 없이) 어, 저, 와서는 안 되는데…….

허니 그러게요……. 늦은 데다가…….

마사 늦다니! 무슨 소리? 소지품은 아무 데나 던져 두고 들어오셔.

조지 (막연하게…… 걸어 나가며) 아무 데나…… 가구 위에, 바닥에…… 여기선 아무 상관도 없지.

닉 (허니에게) 오지 말자고 했잖아.

마사 (큰 목소리로) 들어오라니까! 들어오라고!

허니 (닉과 함께 들어오며 약간 낄낄거린다.) 아이, 참.

조지 (허니를 흉내 내서 낄낄거리며) 히, 히, 히, 히.

마사 (조지에게 획 돌아서며) 이봐, 쓰레기…… 입 닫지 못해!

조지 (순진한 척, 속상한 척하며) 마사! (허니와 닉에게) 마사는 입이 험악해요. 아주 끝내준다니까.

마사 여보세요, 친구들…… 앉으시죠.

허니 (앉으며) 아이, 분위기 좋네요!

닉 (건성으로) 정말 그렇군……. 멋진데.

마사 흠, 고마워요.

닉 (추상화를 가리키며) 누가 그렸죠…… 저 그림……?

마사 저거? 아, 저거 그린 사람은…….

조지 ……콧수염 기른 그리스 사람인데 마사가 어느 날 밤 쳐들어갔지…….

허니 (상황을 모면하려고) 오, 호, 호, 호, 호.

닉　그림이 상당히…… 어…….

조지　조용하지만 강렬하다고?

닉　아니, 저기, 어…….

조지　아. (사이) 아, 그럼 모종의 요란하지만 안정된 느낌 같은 거?

닉　(조지가 하는 짓을 알아채고, 완강하고 냉랭하게 예의를 갖춘다.) 아뇨. 제 말은…….

조지　이건 어떨까…… 음…… 요란한 정적 속 안정된 강렬함.

허니　여보! 당신을 놀리고 있는 거예요.

닉　(싸늘하게) 나도 알아.

(잠시 어색한 침묵.)

조지　(진심을 담아) 미안하오.

(닉이 봐준다는 듯 고개를 끄덕인다.)

조지　사실 그건 마사의 마음속 질서를 그림으로 표현한 것이오.

마사　하, 하, 하, **하**! 친구들에게 한 잔씩 돌려요, 조지. 뭐로 하겠어요, 친구들? 뭘 마시겠냐고, 응?

닉　허니? 뭐로 하겠어?

허니　글쎄요……. 브랜디 약간. "섞지 말라, 걱정할 일도 없으리라."란 말도 있죠. (낄낄거린다.)

조지　브랜디? 아무것도 섞지 말고 브랜디만? 간단하군, 간

단해. (카운터로 간다.)

당신은 뭐로…… 어…….

닉 괜찮으시다면 버번 온더록스로 하겠습니다.

조지 (술을 준비하는 동안) 괜찮으시다면? 물론 괜찮지. 괜찮을걸, 아마. 마사? 당신은 공업용 에탄올?

마사 그럼. "섞지 말라, 걱정할 일도 없으리라."

조지 마사는 음주 취향이 점점 더 소박해져…… 단순…… 명료해졌지. 마사와 연애할 때는, 그게 정확한 용어인지는 모르겠지만, 내가 마사와 연애하던 시절엔…….

마사 (명랑하게) 입 닥쳐, 자기!

조지 (허니와 닉의 술잔을 가지고 돌아온다.) 어쨌든 내가 마사와 연애하던 시절엔 별 해괴한 걸 다 마셨지! 들으면 기절할걸! 바에 들어가서…… 바 있잖아, 위스키, 맥주, 버번이 있는 바……. 마사는 얼굴을 있는 대로 찡그리고 머리를 짜내서…… 브랜디 알렉산더, 크림 드 카카오 프라페, 김릿, 불타는 칵테일…… 별별 색깔이 섞인 위스키를 시켰지.

마사 좋은 술이었지……. 맛있었어.

조지 진짜 숙녀용 위스키였지.

마사 그래, 내 공업용 에탄올은 어디 있어?

조지 (카운터로 돌아가며) 그런데 세월이 흐르면서 마사는 본질주의자가 되었어……. 크림은 커피에, 라임 주스는 파이에…… 그리고 순수한 에탄올은 (마사에게 술잔을 가져다준다.) ……여기 있어요, 여보…… 순수한 사람들에게. (술잔을 들어 올린다.) 눈먼 이성, 평안한 마음, 그리고 배 속의 밥통을 위하여. 다들 건배.

마사 (모두에게) 모두 건배. (모두 마신다.) 당신은 시인이야, 조지……. 내 속살을 비비고 들어오는 딜런 토마스* 같아.

조지 저속하긴! 손님들도 계신데!

마사 하, 하, 하, 하! (허니와 닉에게) 이봐, 이봐!

(손에 술잔을 쥔 채 노래하고 지휘한다. 마지막 부분에서는 허니도 같이 부른다.)

누가 두려워하랴, 버지니아 울프,
버지니아 울프,
버지니아 울프,
누가 두려워하랴, 버지니아 울프…….

(마사와 허니가 소리 내어 웃는다. 닉은 미소 짓는다.)

허니 아, 재밌지 않아요? 너무 재밌어…….

닉 (낚아채듯) 그래…… 그래, 재미있군.

마사 웃다가 창자가 터지는 줄 알았어. 정말로…… 정말 창자 터지는 줄 알았다니까. 조지는 싫어했어……. 조지는 하나도 안 우습대.

조지 아이고, 여보, 이 얘기 또 시작하는 거야?

마사 당신 부끄러운 줄 알라고. 유머감각이 있어야지, 원.

---

* 1930년대를 대표하는 영국 시인. 음주와 기행(奇行)으로 유명하며, 반전(反戰)이나 생명 등을 주제로 시를 썼다.

조지 (허니와 닉에게, 지나치게 참을성 있는 태도로) 마사는 내가 크게 웃지 않았다고 그러는 거요. 마사가 점잖게 표현했듯이…… "창자가 터지게" 웃지 않으면 재밌어 한 게 아니라는 거지. 알겠지? 하이에나처럼 낄낄거리지 않으면 재밌어 한 게 아니라니까.

허니 저기, 저는 굉장히 재미있었어요……. 근사한 파티였다니까요.

닉 (열성을 보이려고) 으응……. 분명 그랬지.

허니 (마사에게) 게다가 댁의 아버님은 정말! 아! 대단한 분이시더군요!

닉 (아까처럼) 으응……. 그래, 그랬지요.

허니 정말 대단하시더라니까요.

마사 (진심으로 자랑스러워하며) 대단한 남자야, 안 그래요? 대단한 남자야.

조지 (닉에게) 그렇게 믿고 계시오!

허니 (조지에게 경고조로) 오오! 멋진 분이세요.

조지 내가 뭐라 그랬나. 하느님이시라니까, 그렇고말고.

마사 우리 아버지를 가만 내버려 둬!

조지 그렇지요, 마님. (닉에게) 내 말은…… 나처럼 교수 파티를 자주 하다 보면 말이지…….

닉 (둘만의 친밀감을 조성하려는 조지를 무시하며) 전 좋았는데요. 재미있었을 뿐 아니라 고맙기까지 했어요. 신참으로 어딜 가게 되면 말이죠……. (조지가 닉에게 의심스러운 눈길을 보낸다.) 사람들을 만나고 여기저기 소개받고…… 몇몇 사람들과 알게 되고……. 처음 캔자스에서 교수가 되었을 땐 말이죠…….

허니 믿기지 않겠지만요, 우리는 그 모든 것을 우리 스스로 다 해 나가야 했답니다……. 그렇죠, 여보?

닉 응, 그랬지……. 우리는…….

허니 ……우리가 다 헤쳐 나갔다니까요……. 도서관이니 슈퍼니……. 교수 부인들을 만나면 먼저 가서…… "안녕하세요, 저 새로 이사 왔어요……. 누구누구 부인이시죠, 남편분이 누구누구 박사이시고요." 정말 정 없는 분위기였다니까요.

마사 아, 우리 아빠는 일하는 방법을 아는 분이지.

닉 (별로 감복하지 않은 분위기) 놀라운 분이죠.

마사 앞으로 장담해도 좋아.

조지 (닉에게…… 둘 사이의 얘기이나 속삭이진 않는다.) 신참, 비밀 하나 알려 줄까. 자네가 대학교수일 것 같으면 누워서 떡 먹을 일들이 꽤 있다네. 대학 총장 딸과 결혼하는 것보다 더 쉬운 일도 있다고. 세상엔 누워서 떡 먹을 일들이 꽤 있다네.

마사 (우렁차게…… 딱히 누구에게랄 것 없이) 어떤 남정네들에겐 절호의 기회가 되겠지……. 일생일대의 대기회!

조지 (닉에게…… 경건하게 윙크하며) 내 말을 믿으라니까. 세상엔 그것보다 더 쉬운 일들도 있다니까.

닉 어, 그게…… 어색한 것 푸는 데는 확실히…… 도움이 되겠지만…… 하지만…….

마사 어떤 남정네들은 그런 기회라면 팔 하나를 잘리는 한이 있어도 잡으려고 안달일걸!

조지 (조용히) 오, 여보, 실제로는 좀 더 은밀한 신체 부위를 희생하는 것이 더 효과적이라오.

마사 (묵살하고 경멸하는 투로 으르렁거리며) 돼애애앴어!

허니 (재빨리 일어서며) 저기…… 화장실이……. (목소리가 잦아든다.)

조지 (마사에게, 허니를 가리키며) 마사…….

닉 (허니에게) 괜찮아, 당신?

허니 그럼요, 여보. 그냥…… 화장 좀 고치려고요.

조지 (마사가 일어나지 않자) 여보, 우리 그…… 부드럽게 표현하는 곳 좀 가르쳐 주지?

마사 응? 뭐? 아! 그럼요! (일어난다.) 미안, 이리 와요. 집을 구경시켜 주지.

허니 아니, 저는…….

마사 ……손을 씻고 싶다고? 알았어……. 이리 와요. (허니의 팔을 낀다. 남자들에게) 두 남정네들끼리 잠시 얘기 나누시죠.

허니 (닉에게) 곧 올게요, 여보.

마사 (조지에게) 정말이지 당신은 사람 몰아붙이는 데 뭐가 있어!

조지 (만족한 듯) 그래.

마사 정말이야, 당신.

조지 좋아, 여보…… 좋아…… 돌아다니다 와.

마사 정말이야.

조지 그 뭐시기…… 얘기나 하지 말고.

마사 (무섭도록 격렬하게) 내가 원하는 건 뭐라도 얘기할 거야, 여보!

조지 알았어, 알았다고. 사라지라고.

마사 원하는 건 뭐라도, 빌어먹을! (허니를 질질 끌다시피 나가며) 가자고…….

조지 사라져. (여자들 사라지고) 자? 이제 뭘 하지?

닉 아, 글쎄요……. 그냥 버번이나 마시죠.

조지 (닉의 술잔을 들고 카운터로 가며) 아까 무릉도원에서 마시던 것 말이지?

닉 어디라고요?

조지 무릉도원.

닉 무슨 말씀이신지…….

조지 됐어. (술잔을 건네준다.) 버번 한 잔.

닉 고맙습니다.

조지 우리 마누라와 나 사이에 오가는 실없는 농지거리야. (둘 다 앉는다.) 자? (사이) 자…… 수학과에 계시다고?

닉 아니요……. 아닌데요.

조지 마사가 그러던데. 그랬던 거 같은데. (다소 퉁명스럽게) 왜 가르치는 직종을 택했나?

닉 아…… 저…… 그게…… 당신과 같은 이유가 아닐까 하는데요.

조지 그게 뭔데?

닉 (딱딱하게) 뭐라고 하셨지요?

조지 그 이유가 뭐냐고? 내가 가르치는 직종을 택한 이유가 뭔가?

닉 (어색하게 웃으며) 어…… 저야 모르죠.

조지 방금 자네가 말했잖아. 자네가 가르치게 된 이유가 내가 가르치게 된 이유와 같을 거라고 하지 않았나.

닉 (약간 모난 태도로) 같은 이유가 아닐까 한다고 말했는데요.

조지 오. (무성의하게) 그랬어? (사이) 그래애…… (사이) 여기 어떤가?

닉 (방을 둘러보며) 예…… 좋은데요.

조지 대학 말이야.

닉 아…… 여기 말하는 건 줄 알고…….

조지 그래…… 그런 줄 알았어. (사이) 대학 말이야.

닉 어…… 좋아요……. 좋습니다. (조지가 자신을 주시하고 있자) 좋다고요. (여전히 주시) 댁은…… 오래전부터 여기 있었지요?

조지 (못 들은 것처럼 멍하니) 어? 아…… 그렇지. 거 누구더라…… 아, 마사였지…… 마사와 결혼한 이후부터. 그 전부터 있었어. (사이) 영원토록. (혼잣말로) 희망은 꺾이고 좋은 의도만 남았지. 좋은, 더 좋은, 최고로 좋은, 최고로 좋았던. (다시 닉에게) 내가 만든 형용사 변화 어떤가, 응? 젊은 양반?

닉 저기, 죄송하지만…….

조지 (날선 목소리로) 내 질문에 대답하지 않았네.

닉 선생님?

조지 공손한 체하기는! (어르며) 형용사 변화가 어떠냐고 물었잖아. 좋은, 더 좋은, 최고로 좋은, 최고로 좋았던. 음? 어떤가?

닉　(다소 정나미 떨어진다는 투로) 글쎄, 뭐라고 말해야 할지 모르겠습니다.

조지　(짐짓 못 믿겠다는 투로) 정말 뭐라고 말해야 할지 모르겠어?

닉　(왈칵 성을 내며) 그래요……. 대체 내가 뭐라고 말하길 원하는 겁니까? 내가 재미있다고 대답하면 반박하고 나서서 말도 안 된다고 하려고요? 아니면 내가 말도 안 된다고 하면 돌아서서 아니, 재미있어라고 말하려고요? 빌어먹을 어릿광대 놀음을 원하는 거라면 마음대로 해 보시죠!

조지　(겁먹은 척) 굉장하다! 굉장해!

닉　(더 열이 나서) 그리고 아내가 돌아오면 우린 마치…….

조지　(진심을 담아) 이봐, 이봐…… 진정하셔. 진정하시라고. (사이) 괜찮아? (사이) 한 잔 더 하고 싶어? 자, 술잔을 달라고.

닉　아직 있어요. 아내가 층계를 내려오면 정말이지…….

조지　자…… 새로 채워 주지. 술잔을 주게. (가져간다.)

닉　내 말은…… 두 분이서…… 당신과 부인 말입니다……. 두 분이 뭔가 놀리는 듯한…….

조지　마사와 나는…… 그렇지 않아. 마사와 난…… 그저…… 연습을 좀 하고 있을 뿐이야. 그나마 남은 재간을 좀 부려 보고 있을 뿐이라고. 신경 쓰지 말게.

닉　(떨떠름해서) 그렇지만…….

조지　(갑자기 분위기를 바꾸며) 자, 그럼…… 앉아서 얘기나 해 볼까?

닉 (다시 냉랭해져서) 저는 그저…… 말려들고 싶지 않을 뿐이에요……. (궁리하다가) 어…… 다른 사람들 일에 말이죠.

조지 (아이를 달래듯) 으응, 작은 대학이니 뭐니 하는 거…… 곧 신경도 안 쓰게 될 거야. 여기선 콧노래 나는 잠자리가 교수들의 게임이라니까.

닉 선생님?

조지 콧노래 나는 잠자리가 교수들의…… 됐어. 신경 쓰지 말게. 그런 식으로 "선생님?"이라고 하지 않았으면 좋겠어. 뒤에다 물음표를 달아서 말이야. 선생님? 그게 자네들이 연장자에게 (움찔한다.) 존경을 표하는 방법 같기는 하지만…… 자네가 하는 식은 뭐랄까…… 선생님? ……부인? 하는 게.

닉 (애매하게 미소를 지을 듯 말 듯) 불손한 의미는 아닙니다.

조지 자네는 몇 살인가?

닉 스물여덟*입니다.

조지 난 사십 대야. (반응을 기다리지만 아무 답이 없자) 놀랍지 않아? 내 말은…… 더 늙어 보이잖아? 흰머리의 회색 인간…… 이런 것들이 오십 대 같지 않느냐는 말이지. 어쩐지 나는 구석에 물러앉아…… 담배 연기 속으로 사라져 가는 그런 느낌이 나지 않느냐고? 응?

닉 (눈으로 재떨이를 찾으며) 보기에…… 괜찮으신데요, 뭘.

조지 난 마른 체질이야……. 자네 나이 이후 3킬로도 늘지

* 등장인물 소개에는 30세로 나옴.

않았다네. 똥배도 안 나왔어……. 벨트 아래가 조금 두꺼워지긴 했지. 그렇지만 단단한 살이야. 물렁살이 아니라고. 난 핸드볼을 한다네. 자넨 몇 킬로나 나가나?

닉　저는…….

조지　75, 76킬로…… 그 정도지? 핸드볼 하나?

닉　어, 예…… 아니요……. 저기, 잘하진 못합니다.

조지　그래, 그러면…… 언제 핸드볼이나 한번 함세. 마사는 예전에…… 50킬로였어. 지금은 그보다 더 나갈걸. 자네 와이프는 몇 살인가?

닉　(다소 어리둥절해하며) 스물여섯입니다.

조지　마사는 놀라운 여자야. 내가 보기에 그녀는 50킬로쯤 나갈 것 같은데.

닉　부인께서…… 말씀인가요?

조지　아니, 아니, 딱한 사람. 자네 와이프, 당신 부인 말이야. 우리 와이프는 마사야.

닉　그렇죠……. 압니다.

조지　마사와 살면 내 말이 무슨 뜻인지 알게 될 걸세. (사이) 하지만 그와 반대로 내가 자네 와이프와 살면 그게 무슨 뜻인지도 알게 되겠지……. 안 그런가?

닉　(잠시 후) 그렇겠죠.

조지　마사 말이 자네는 수학과라고 하던데.

닉　(백 번쯤 얘기한 말인 양) 아니요, 아닙니다.

조지　마사는 거의 실수하지 않아……. 자네는 수학과나, 뭐 그런 거여야 하네.

닉　저는 생물학자입니다. 생물학과에 있습니다.

조지　(잠시 후) 아. (뭔가 기억난 사람처럼 다시) **아!**

닉　선생님?

조지　자네로군! 자네가 모든 인간을 똑같이 만들고 엽색체인지 뭔지를 재배열해서…… 난리를 피울 사람이로군. 그렇지?

닉　(다시 보일 듯 말 듯 미소) 정확하게는, 염색체입니다.

조지　난 허점투성이라네. 자네는 (의자에서 앉은 위치를 바꾸며) 사람들이 역사에서 조금도 배우지 못한다는 점을 믿나? 배울 게 없어서가 아니라 아무것도 배우지 못한다는 점을? 난 역사학과라네.

닉　아…….

조지　난 박사야. 학사…… 석사…… 박사…… 학석박사! 학석박사는 전두엽에 생기는 소모성 질환, 그리고 기적의 약으로 다양하게 묘사되었지. 사실 그것 둘 다야. 난 사실 매우 허점투성이라네. 생물학이라고, 응?
(닉은 대답하지 않고…… 고개를 끄덕인 후…… 쳐다본다.)
어디선가 과학소설은 전혀 소설이 아니라고 하는 걸 읽은 적이 있어……. 거 왜 자네 같은 사람들이 유전자를 재배열해서 모든 사람이 다 똑같이 생기도록 하는 거 말이야. 오오, 난 싫어! 그건…… 고역이야. 잘 봐……. 날 보라고! 모든 사람들이 마흔 몇 살에 이미 쉰다섯처럼 보인다면 좋겠어? 자넨 역사에 대한 내 질문에 대답하지 않았어.

닉　댁이 얘기하는 유전적인 것은…….

조지　아, 그거. (손을 흔들어 떨쳐 버린다.) 그건 매우 불쾌하고…… 매우…… 실망스러운 일이야.
하지만 역사는 훨씬 더…… 실망스럽지. 난 역사학과에 있다네.

닉 네…… 얘기했어요.

조지 얘기했지. 알아……. 아마 서너 번 더 얘기할걸. 마사는 내게 종종 말해 줘. 내가 역사학과가 아니라…… 역사학과를 운영하는 게 아니라…… 나는 그저 역사학과에 있을 뿐이라고. 난 역사학과를 운영하고 있지 않아.

닉 저기, 저도 생물학과를 운영하고 있지 않습니다.

조지 자넨 스물하나잖아!

닉 스물여덟입니다.

조지 스물여덟! 자넨 마흔 몇 살이 되어서 쉰다섯처럼 보이게 되면 역사학과를 운영하게 될지도 모르지…….

닉 ……생물학과인데요…….

조지 ……생물학과. 난 전쟁 중에 사 년간 역사학과를 꾸려나가긴 했지만, 그건 모두 다 전쟁에 나갔기 때문이었어. 그리고…… 다들 돌아왔어……. 아무도 전사한 사람이 없었거든. 그게 뉴잉글랜드야. 놀랍지 않아? 이 동네 전체에서 단 한 사람도 머리통이 날아간 놈이 없어. 상당히 비합리적이지. (생각한다.) 자네 마누라는 히프가 너무 없어……. 그렇지 않아?

닉 예?

조지 난 궁둥짝에 집착하는 인간이 아냐……. 난 그 뭐냐, 36, 22, 78 같은 거 따지는 사람이 아니라고. 절대로……

난 안 그래. 모든 건 비율이지. 난 자네 마누라…… 히프가 빈약하다고 말하는 거야.

닉 예…… 그렇죠.

조지 (천정을 올려다보며) 저 여자들 뭐하는 거지? 저기쯤에 있을 거 같은데.

닉 (짐짓 열떤 듯) 여자들 아시잖아요.

조지 (닉을 그윽하게 쳐다보며, 짐짓 미심쩍다는 듯…… 그러다가 시선을 옮긴다.) 개새끼들, 한 놈도 안 죽었다니까. 아무도 워싱턴을 폭파하지 않았으니 아무렴. 제길…… 말도 안 돼. 아이는 있어?

닉 어…… 아뇨……. 아직은 없어요. (사이) 댁은요?

조지 (도전하듯이) 안 가르쳐 줄 거야.

닉 정말로요?

조지 아이가 없어?

닉 아직은요.

조지 사람들은…… 어…… 아이가 있어. 그게 역사야. 자네들은 시험관에서 아이를 만들려고 하잖아? 자네들 생물학자라는 치들은 말이야. 아기를. 그러면 남은 우리들은…… 하고 싶은 대로…… 실컷 거시기나 하겠지. 세금 감면은 어쩌라고? 그건 어떻게 할 건지 알아봤나? (닉은 대체 어찌할 바를 몰라 그냥 웃을 뿐이다.) 하지만 자네들은 아이를 가질 거라고…… 어쨌든. 역사가 눈을 시퍼렇게 뜨고 있는데 말이야.

닉 (도피처를 찾은 듯) 예…… 그럼요. 좀 더…… 기다렸다가…… 정착하고 난 다음에요.

조지 그리고 여기…… (손으로 방과 집과 동네 전체를 휘어잡는 시늉을 하며) ……자넨 여기라면 만족한다는 거군. 일리아…… 펭귄의 섬…… 고모라…… 여기 뉴카르타고에서 행복할 거라고 생각하는 거지?*

닉 (약간 방어적으로) 여기 계속 있으면 좋겠어요.

조지 명확하게 의미 지으려면 경계가 생기게 마련일세, 그렇잖아? 뭐, 나쁜 학교는 아냐. 그 정도면…… 됐지, 뭐. MIT도 아니고…… UCLA도 아니고…… 소르본도 아니고…… 모스크바 대학도 아니긴 하지만 말이지.

닉 영원히…… 있겠다는 건 아니고요.

조지 그런 소문내고 다니지 말게. 노인네는 그런 걸 좋아하지 않아. 마사의 아버지는 자신의…… 교수진에게서 충성과 헌신을 기대하지. 다른 표현을 쓸 뻔했군. 마사의 아버지는 자신의…… 교수진이…… 이곳 벽에 껌처럼 붙어 있기를 원하지……. 담쟁이덩굴처럼 말이야……. 여기 와서 늙어 가기를…… 근무하다가 차례로 순직하기를 바라지. 라틴어와 변론을 전공하던 교수 하나는 실제로 점심 먹는 줄에 서 있다가 거꾸러졌지 뭔가. 그이는 예배당 주변 관목 숲 아래 묻혔어. 많은 이들

---

* 일리아는 셰익스피어의 작품 『십이야』의 무대로, 그곳에서는 청춘 남녀의 성(性) 역할 전도와 진정한 짝을 찾는 과정이 펼쳐진다. 펭귄의 섬은 아나톨 프랑스가 현실과 허상에 대해 이야기한 동명 소설의 배경이며, 고모라는 성적인 타락으로 신에게 벌을 받아 멸망하는 성경 속 도시이다. 이 작품의 배경인 뉴카르타고는 작가가 만들어 낸 미국 동부의 도시로, 전설적인 연인인 디도와 아이네아스가 사랑을 나누던 고대 아프리카의 도시 카르타고에서 따온 지명이다.

이 그래 왔고 앞으로도 그렇게 되겠지. 우리는 질 좋은 비료가 된다더군……. 맞는 말이야……. 하지만 노인네는 관목 숲 아래 묻히지 않을 거야……. 노인네는 죽지 않을걸. 마사의 아버지는 삼천갑자 거북이처럼 장수하는 능력을 가지고 있어. 소문에 의하면…… 이런 얘기는 마사 앞에서 입도 달싹하면 안 되네, 게거품을 내뿜을 테니까…… 그 아버지, 노인네는 200살이 넘었다는군. 뭐 약간의 빈정거림을 담아 하는 말이겠지만, 덜 취해서 그게 무슨 소리인지는 모르겠군. 아이는 몇 명이나 낳으려고?

닉　글쎄요…… 아내가…….

조지　히프가 빈약해. (일어나며) 한 잔 더 하게.

닉　그러죠.

조지　**마사!** (대답이 없다.) **젠장!** (닉에게) 여자들을 안다고 했겠다……. 으음, 난 남자들이 이야기하고 있을 때 대체 여자들은 무슨 얘기를 하는지 도저히 알 수가 없더라고. (애매하게) 언젠가는 알아내고 말겠어.

마사의 목소리　**뭐야?**

조지　멋진 목소리지? 내 말인즉…… 여자들은 대체 무슨 얘기를 한다고 생각하는지…… 아니면 자네에겐 전혀 관심도 없는 주제인가?

닉　자기 자신들에 대한 얘기겠죠.

마사의 목소리　조지?

조지　(닉에게) 여자들이란…… 알 수 없지 않나?

닉　음…… 그렇기도 하고 아니기도 하고.

조지 (알겠다는 듯 고개를 끄덕이며) 으흠. (현관 복도를 향해 가다가 들어오는 허니와 거의 마주칠 뻔했다.) 아! 자, 여기 한 분은 오셨군.

(허니가 닉 쪽으로 간다. 조지는 현관 복도로 간다.)

허니 (조지에게) 곧 내려오실 거예요. (닉에게) 여보, 집을 좀 둘러봐……. 세월의 흔적이 정말 멋지게 남은 집이라니까.

닉 그러게…….

조지 **마사!**

마사의 목소리 **이런 젠장, 좀 기다리라고!**

허니 (조지에게) 곧 내려오실 거예요……. 옷을 갈아입고 계세요.

조지 (못 미더워서) 뭐요? 옷을 갈아입어?

허니 네.

조지 옷을?

허니 드레스를요.

조지 (미심쩍어하며) 왜요?

허니 (어쩔 줄 몰라 작게 웃는다.) 저, 좀 편히 움직이려고……하시는 게 아닐까요.

조지 (현관 복도에 험악한 눈길을 보내며) 아, 편하게 움직이시겠다?

허니 아이, 저기 제 생각에는…….

조지 **자넨 아무것도 몰라!**

닉 (허니가 말하려는데) 괜찮아?

허니 (안심시키는 투지만 칭얼대는 여운. 습관적인 말투로) 아이, 그럼…… 아무렇지도 않아.

조지 (열을 내며…… 혼잣말로) 편하시겠다 이거지? 그래, 어디 봅시다.

허니 (조지에게 밝게) 아드님을 두신 줄 몰랐네요.

조지 (마치 뒤통수를 얻어맞은 듯, 방향을 바꾸며) **뭐요?**

허니 아들요! 지금껏 몰랐다고요.

닉 안 가르쳐 줄 거라고 하더니. 아, 아드님이 상당히 컸겠네요…….

허니 스물하나……. 내일 스물하나가 된대요……. 내일이 생일이라는군요.

닉 (승리의 미소를 지으며) 그렇군!

조지 (허니에게) 아들 얘기를 하던가?

허니 (당황하여) 아, 네. 저기, 제 말은…….

조지 (못 박는다.) 마사가 우리 아들에 대해 얘기했다고.

허니 (어쩔 줄 몰라 낄낄거리며) 네.

조지 (기묘하게) 옷을 갈아입는 중이라고 하셨겠다?

허니 네…….

조지 그리고 아들 얘기까지……?

허니 (명랑하게, 그러나 약간 어리둥절해하며) ……내일이 생일이라고…… 네.

조지 (혼잣말하듯이) 좋아, 마사…… 해 보자고.

닉 당신 창백해, 여보. 뭐라도 마시는 게……?

허니 네, 여보……. 브랜디 조금만 더 주세요. 한 방울이면 돼요.

조지　좋아, 마사.

닉　저…… 카운터 좀 써도 될까요?

조지　응? 아, 그래, 그럼…… 얼마든지. 다 마셔 없애. 세월이 흐를수록 술이 더 필요하지. (마치 마사가 방 안에 있는 것처럼) 당신은 정말 빌어먹을…….

허니　(무마하려는 듯) 여보, 지금 몇 시예요?

닉　2시 30분이군.

허니　아, 너무 늦었네……. 정말 집에 가야겠어요.

조지　(비열하게, 너무 몰두한 나머지 자신의 어투를 알아채지 못하고) 뭣 때문에? 베이비시터와 한 게임 하려는 거야, 뭐야?

닉　(경고하듯이) 애가 없다고 말했을 텐데요.

조지　응? (깨닫고) 아, 미안하오. 아무 생각도 없었나 봐……. 듣지도 않았었나 보군……. (손가락을 튕기며) 어느 쪽인지 모르겠지만.

닉　(허니에게 차분하게) 곧 갈 거야.

조지　(밀어붙인다.) 아, 안 돼……. 지금 가면 안 되지. 마사가 옷을 갈아입고 있다잖아. 나를 위해서가 아냐. 나를 위해 옷을 갈아입는 것은 오래전에 관뒀소. 마사가 옷을 갈아입는다는 말은 우리가 여기…… 며칠은 있어야 한다는 뜻이오. 당신네들이 그런 영예를 받고 있는 거지. 게다가 마사는 우리 경애하는 두목의 딸이라고. 마사는 말하자면 두목의…… 거시기라고 할 수 있지.

닉　말씀드리기 죄송하지만…… 아내 앞에서 그런 식으로

말씀하시지 않으셨으면 합니다.

허니 아이, 저기…….

조지 (못 믿겠다는 듯) 그래? 오, 자네 말이 맞아……. 그런 종류의 말투는 마사가 해야지.

마사 (들어오며) 무슨 종류의 말투?

(옷을 갈아입은 마사는 더 편안해 보이고, 이 점이 중요한데, 매우 육감적으로 보인다.)

조지 아, 여보, 당신 왔군.

닉 (감탄하며 일어난다.) 아, 이제…….

조지 아, 여보……. 일요일 예배당 가는 차림이군.

허니 (살짝 비아냥거리는 투로) 아, 굉장히 아름다우세요.

마사 (뽐낸다.) 맘에 들어? 잘됐네! (조지에게) 대체 왜 그리 층계가 울리도록 고함을 지르고 야단이냐고?

조지 외롭고 심심해서 말이지……. 당신의 작고 예쁜 목소리가 없으니 외롭더라고.

마사 (장단을 맞춰 주지 않기로 작정한 듯) 아. 그래, 그러면 카운터로 가서…….

조지 (마사의 어투를 흉내 내며) ……엄마를 위해 술 한잔 거하게 만들어 오셔.

마사 (낄낄대며) 맞았어. (닉에게) 그래, 둘이서 얘기 잘했어? 언제나처럼 남정네들께서 세상의 골칫거리를 다 해결하셨나?

닉 아, 아뇨, 우리는…….

조지　(재빨리) 사실대로 말하자면 말이지, 당신들 둘이 무슨 얘기를 하는지 궁금해한 게 다였어.

(허니는 낄낄 웃고 마사는 크게 웃는다.)

마사　(허니에게) 물건들이지? 이 사내들…… (쾌활하게, 무시하는 투로) ……끝장이지 않아? (조지에게) 살금살금 올라와서 엿듣지 그랬어?

조지　아, 난 그렇게 엿듣지 않았을걸. 엿봤겠지.

(허니는 낄낄 웃고 마사는 크게 웃는다.)

닉　(조지에게, 부러 열을 내며) 그건 음모예요.

조지　알 게 뭐야. 제기랄!

마사　(닉에게, 허니가 빙긋 웃는 동안) 저기, 당신 대단하던걸, 석사 학위를 딴 게…… 언제라고? ……열두 살? 그 얘기 들었어, 조지?

닉　열두 살하고 육 개월 되던 때죠. 아니, 실은 열아홉 살 때였어요. (허니에게) 여보, 그런 말까지 하다니, 원. 그건…….

허니　아아……. 난 당신이 자랑스러워서요…….

조지　(심각하게, 거의 슬프게) 굉장히…… 감동적이로군.

마사　(공격적으로) 젠장, 딱 맞는 소리야!

조지　(이를 악물고) 감동적이라고 했어, 여보. 질투가 나서 죽을 것 같아. 어쩌라는 거야? 토하기라도 하라고? (닉에게) 그거 정말 감동적이군. (허니에게) 자랑스러울 만도 해요.

허니 (수줍게) 아, 정말 괜찮은 사람이죠.

조지 (닉에게) 조만간 역사학과를 접수한다고 해도 놀랄 일이 아니군.

닉 생물학과예요.

조지 생물학과…… 그렇지. 역사에 너무 몰두해 있다 보니. 아! 멋진 표현이야. (가슴에 손을 대고 머리를 곧추세우는 자세를 취한 채 큰 목소리로) "난 역사에 너무 몰두해 있어."

마사 (허니와 닉은 킬킬거리고) 하, 하, 하, **하!**

조지 (다소 역겹다는 듯) 난 술이나 한잔 해야겠어.

마사 조지는 역사에 몰두해 있는 게 아냐……. 역사학과에 몰두해 있는 거지. 조지는 역사학과에 몰두해 있는 거야. 왜냐면…….

조지 ……왜냐면 조지는 역사학과가 아니라 그저 역사학과에 있을 뿐이기 때문이지. 우린…… 여보…… 당신네가 위층에 있을 때 다 얘기했어. 다시 얘기할 필요도 없어.

마사 맞아, 여보……. 명백히 밝혀 둬. (다른 이들에게) 조지는 역사학과의 막장 인생이지. 역사학과의 막장, 그게 조지라니까. 막장…… 얼간이…… 떨거지. 하, 하, 하! **떨거지!** 어이, 떨거지! 어이, **떨거지!**

조지 (엄청난 자제력으로 자신을 억누른다. ……잠시 후 마치 마사가 "여보, 조지."라고 말하기라도 한 것처럼) 왜, 여보? 뭐

가져다줄까?

마사 (조지의 놀이에 재밌어 하며) 아, 음…… 그래. 괜찮으면 담뱃불이라도 붙여 주지 그래.

조지 (생각해 보더니 걸음을 옮긴다.) 아니…… 한계가 있어. 내 말인즉, 인간은 어떤 한계까지만 참을 수 있는 거라고, 그렇지 않으면 진화의 사다리를 한두 계단 내려가는 거지……. (닉을 보며 재빨리 방백으로) 자네 전공이군……. (다시 마사에게) 타락하는 거야. 여보…… 웃기는 사다리야…… 돌이킬 수가 없다고……. 일단 내려가기 시작하면 다시 올라올 수 없어.

(마사가 조지에게 도전적인 키스를 날린다.)

자…… 당신은 귀신을 무서워하니까 날이 어두워지면 내가 손을 잡아 줄게. 자정 넘으면 당신 술병도 몰래 내놓아 주지. 아무도 보지 못하게……. 하지만 당신 담뱃불은 붙여 줄 수 없어. 바로 그런 얘기야.

(잠시 침묵.)

마사 (이를 악물고) 젠장! (곧이어 닉에게) 자기, 미식축구 했다며?

허니 (닉이 생각이 잠긴 듯 보이자) 여보…….

닉 아! 아, 네…… 저는 쿼터백이었어요……. 그렇지만…… 권투에 훨씬 더 재능이 있었답니다.

마사 (열을 올리며) **권투!** 여보, 들었어?

조지 (체념한 듯) 그래, 여보.

마사 (별나게 열을 띠면서 적극적으로 닉에게) 아주 잘했나 보네……. 그게, 얼굴에 한 방도 맞은 적이 없어 보여.

허니 (자랑스럽게) 이이는 대학 연맹 미들급 공식 챔피언이었답니다.

닉 (민망해하며) 허니…….

허니 사실인데요, 뭐.

마사 여전히 몸매가 상당히 좋아 보여……. 그렇지? 몸이 그대로지?

조지 (강하게) 마사…… 점잖지 못하게…….

마사 (조지에게…… 그러나 여전히 닉을 쳐다보며) **입 닫아!** (다시 닉에게) 여전한 거지? 몸이 그대로 유지되고 있는 거지?

닉 (무의식적으로…… 거의 마사를 부추기듯) 여전히 괜찮지요. 운동하거든요.

마사 (옅은 미소를 띠고) 정말!

닉 네.

허니 아, 그럼요……. 이이 몸은…… 아주 단단하답니다…….

마사 (여전히 옅은 미소를 띤 채…… 닉과 은밀한 대화를 나누듯) 정말! 아주 멋지겠어.

닉 (스스로 도취되어, 하지만 마사에게 직접 하는 말은 아니다.) 뭐, 모르죠……. (어깨를 으쓱하며) 그 저기…… 일단 몸이 만들어지면…….

마사 ……언제 쓸 일이 생길지 모르지.

닉 제 말은…… 어쩔 수 없을 때까지는 포기하지 말아야 한다는 거죠.

마사　명언이야 명언. (둘 다 미소 짓는다. 모종의 알 수 없는 분위기가 둘 사이에 형성된다.)
명언이야.

조지　마사, 당신 음탕하기가…….

마사　조지는 몸에 대해 얘기하는 걸 별로 좋아하지 않아……. 그렇지 여보? (대답이 없다.) 우리가 근육 이야기를 하면 별로 좋아하지 않는다니까. 거 왜 있잖아……. 탄탄한 배, 가슴 근육…….

조지　(허니에게) 정원 산책이라도 하시겠소?

허니　(꾸짖듯) 아이, 지금은…….

조지　(의심스러운 듯) 즐거운가 보지? (어깨를 으쓱한다.) 그럼 됐고.

마사　저기 배불뚝이 아저씨는 근육에 관한 얘기가 나오면 기분이 영 별로란 말이지. 자기는 얼마나 나가?

닉　칠십 정도…….

마사　여전히 미들급이시군? 상당히 좋은데. (한 바퀴 돌아본다.) 자, 조지, 예전에 우리 둘이 벌인 권투 시합 얘기 좀 해 줘.

조지　(술잔을 쾅 하고 내려놓으며 현관 복도로 간다.) 제기랄!

마사　조지! 얘기해 보라니까!

조지　(얼굴에 역겹다는 표정을 띠고) 당신이 해. 그런 거 잘하잖아.

(퇴장.)

허니 괜찮으신…… 건가요?

마사 (소리 내어 웃는다.) 그이? 아, 그럼. 조지와 내가 권투 시합을 했는데…… 아이고, 젠장, 이십 년이나 됐군……. 결혼하고 일이 년 되었을 때야.

닉 권투 시합을요? 두 분이서?

허니 정말요?

마사 그렇지……. 우리 둘이서…… 정말로.

허니 (기대감에 차서 약간 떨리는 듯 낄낄 웃는다.) 상상이 안 되네.

마사 으응, 이십 년 전이었다니까. 정식으로 링 같은 곳에서 한 게 아니고 말이야. 전쟁 중이었고 우리 아빠는 한창 몸 단련에 빠져 계셨어……. 아빠는 언제나 운동하는 사람을 좋아하셔……. 남자는 머리가 반, 몸이 반이라고 하시면서 두 가지 다 제대로 유지해야 할 책임이 있다고 하시지……. 무슨 말인지 알아?

닉 아, 예.

마사 몸이 제대로 움직이지 못하면 머리도 움직이지 못한다고 하시지.

닉 어, 그게 정확한 것 같지는 않지만…….

마사 뭐, 바로 그렇게 말한 것은 아니고…… 그런 식이었을 거야. 어쨌든…… 전쟁 중이었고 아버지는 남자라면 모름지기 권투를 해야 한다는 생각을 하신 거야……. 자기 방어 차원이지. 아마도 독일군이 해안으로 상륙해 오면 교수진 전체가 나서서 한 방씩 먹여야 한다고 생각하신 게 아닐까…… 몰라.

닉　아마 원칙적인 차원이었겠지요.

마사　진짜야. 그래서 어느 일요일 오후 아빠는 우리를 불러서는 뒤뜰로 나갔어. 아빠가 먼저 글러브를 꼈고. 아버지는 강한 남자야……. 봤잖아.

닉　네…… 그렇죠.

마사　아빠가 그이더러 권투를 하자고 하셨지. 그런데…… 조지는 그러고 싶지 않았던 거야……. 아마 자신의 밥줄을 피로 더럽히고 싶지 않아서였나 보지…….

닉　으흠.

마사　……어쨌든 조지는 그러고 싶지 않다고 했는데 아빠는 “이봐 젊은이…… 무슨 놈의 사위가 이래?” ……이런 등등의 말씀을 하신 거야.

닉　음.

마사　그래서 이런 저런 말들이 오고 가는데…… 나도 모르게…… 내가 글러브를 낀 거야……. 끈을 묶거나 그러지도 않았다고……. 그리고 조지 뒤로 살금살금 가서 장난삼아 소리를 질렀지. “이봐 조지!” 그러곤 동시에 오른쪽 훅을 크게 한 방 날린 거야……. 장난이었다고.

닉　아, 예.

마사　……그런데 조지가 번개같이 몸을 돌리는 바람에 턱에 정통으로 맞은 거야……. **빡!** (닉이 소리 내 웃는다.) 그러려고 한 게 아니거든……. 진짜. 어쨌든…… **빡!** 턱에 정통으로…… 그러고는 균형을 잃어서…… 틀림없어…… 뒤로 몇 걸음 휘청대더니, 바로, **꽈당**…… 뻗어 버린 거야……. 관목 덤불 속으로!

(닉이 소리 내 웃는다. 허니는 쯧쯧 하더니 고개를 가로젓는다.)
끔찍했어. 웃기긴 했지만 끔찍했지.
(생각해 보더니 서글프게 회상하며 소리 죽여 웃는다.)
그게 우리 인생 전체를 결정지어 버렸어. 정말이야! 적어도 그렇게 둘러댈 변명거리는 되지.
(조지가 손을 뒤로 감춘 채 들어온다. 아무도 보지 못한다.)
자기 말로는 그래서 꼼짝없이 막장에 갇히게 되었다는 거야……. 어디로도 떠나지 못하고.

(조지가 들어오는 것을 허니가 본다.)

마사　우연한 사고였어……. 진짜 엿 같은 사고였다고!

(조지가 등 뒤에서 총신이 짧은 산탄총을 꺼내 침착하게 마사의 뒤통수에 겨냥한다. 허니가 소리를 지르며…… 몸을 일으킨다. 닉도 몸을 일으키고, 동시에 마사가 머리를 돌려 조지를 마주 대한다. 조지가 방아쇠를 당긴다.)

조지　**빵!**
(뿅! 총신에서 빨강과 노랑이 섞인 커다란 중국 양산이 튀어나온다. 허니가 다시 약하게 소리를 지르지만, 이번에는 어리둥절해하면서 한편으로 안도하는 비명이다.)
죽었어! 빵! 너 죽었어!
닉　(소리 내 웃으며) 아이고 맙소사.

(허니는 웃느라 제정신이 아니다. 마사도 거의 기절할 정도로 웃어 젖히는데, 웃음소리가 우렁차게 퍼진다. 조지도 왁자지껄한 웃음에 합류한다. 이윽고 웃음소리 잦아들면)

허니　아, 맙소사!
마사　(신나서) 나쁜 새끼, 대체 그런 게 어디서 난 거야?
닉　(총으로 손을 뻗으며) 좀 봐도 돼요?

(조지가 총을 건네준다.)

허니　놀라 죽는 줄 알았어요. 진짜!
조지　(멍하니 대충) 아, 오래전부터 가지고 있었어. 좋았어?
마사　(낄낄대며) 나쁜 새끼.
허니　(관심을 사려고) 놀라 죽을 뻔했다니까요…… 정말.
닉　재밌는 물건이네.
조지　(마사에게 몸을 기울이며) 좋았지, 자기?
마사　응……. 쓸 만한데. (더 부드럽게) 이리 와 봐……. 뽀뽀 해 줘.
조지　(닉과 허니를 가리키며) 좀만 기다려, 자기야.
(그러나 마사는 포기할 기세가 아니다. 둘이 입을 맞춘다. 조지는 선 채로 마사의 의자 쪽으로 몸을 기울인다. 마사는 조지의 손을 끌어가 무대에서 보이는 쪽의 젖가슴에다 올려놓는다. 조지가 몸을 뗀다.)
이런, 안 되지! 그걸 원하는 거야? 손님들 보는 데서 포르노라도 찍자고? 응? 응?

마사 (화도 나고 기분도 상해서) 에이, 변태 새끼!

조지 (개선장군처럼) 모든 게 정상이야, 여보……. 모든 게 다 제대로야.

마사 (욕설을 끝맺지 못하고) 이 새…….

조지 (아직 총을 가지고 있는 닉에게) 자, 보라고……. 다시 집어넣는 거야, 이렇게.

(양산을 접어서 총 안으로 다시 밀어 넣는다.)

닉 아주 제대로 된 물건이네요.

조지 (총을 내려놓으며) 마시자! 모두 건배!

(묻지도 않고 닉의 잔을 가지고…… 마사에게 간다.)

마사 (여전히 화도 나고 기분도 상한 상태로) 나는 아직 안 끝냈거든.

허니 (조지가 잔을 달라고 손을 뻗치자) 아, 전 좀 더 마셔야 할 것 같아요.

(조지가 허니의 잔을 가지고 카운터로 간다.)

닉 일본 거예요?

조지 그렇겠지.

허니 (마사에게) 놀라 죽을 뻔했다니까요. 안 놀랐어요? 일 분 일 초도?

마사 (조지에 대한 분을 누르며) 생각 안 나.

허니 에이, 뭘…… 놀랐으면서.

조지 정말 당신 죽이려는 줄 알았어, 여보?

마사 (경멸감이 뚝뚝 떨어지는 태도로) 당신이……? 나를 죽인다고……? 웃기고 있네.

조지 글쎄…… 언젠가는…… 그럴지도.

마사 잘해 보셔.

닉 (조지가 술잔을 건네주자) 화장실이 어디죠?

조지 저기 현관복도 지나서…… 왼쪽 끝에 있어.

허니 총이니 뭐니 하는 거 가지고 오지 말아요.

닉 (소리 내 웃는다.) 아, 알았어.

마사 자기는 그런 물건이 필요 없지?

닉 아, 그럼요.

마사 (암시적으로) 그렇고말고. 자기한테는 가짜 일본 총 같은 거 필요 없잖아?

닉 (마사에게 미소 짓는다. 조지에게 현관 복도 근처의 보조 탁자를 가리키며) 여기에 술잔 놔둬도 되죠?

조지 (닉이 대답을 듣지 않고 퇴장하자) 그럼…… 괜찮지……. 우리 집엔 마시다 만 술잔이 여기저기 널려 있거든. 마사가 남겨 두고 잊어버린 것들이지……. 그릇장, 욕조…… 냉동실 속에도 있더군.

마사 (자신이 화난 것을 잊고 구미가 당겨) 그런 적 없거든!

조지 아니, 봤어.

마사 (마찬가지로) 그런 적 없다니까!

조지 (허니에게 브랜디를 건네주며) 봤다니까. (허니에게) 브랜

더 많이 마시면 머리 아프지 않아?

허니 섞어 마시지 않으니까요. 게다가 워낙 많이 마시는 편이 아니라서.

조지 (등 뒤에서 음산한 미소를 지으며) 아…… 그래. 당신…… 남편이…… 염색체에 대해 내내 얘기해 주더군.

마사 (인상을 찡그리며) 염 뭐?

조지 염색체, 여보……. 유전자 같은 거 말이야. (허니에게) 당신 남편은…… 정말 무서운 사람이야.

허니 (마치 자신이 놀림 받은 듯) 아이…….

조지 아니, 정말이야. 염색체니 뭐니 해 가며 정말 무서운 인간이야.

마사 수학과에 있잖아.

조지 아냐, 여보……. 생물학자야.

마사 (언성을 높이며) 수학과라니까!

허니 (겁먹은 듯) 어…… 생물학인데요.

마사 (납득할 수 없다는 듯) 확실해?

허니 (약간 낄낄거리며) 해야죠, (잠시 생각한 후) 확실.

마사 (골이 나서) 그렇겠지. 누가 수학과라고 얘기한 거야, 대체.

조지 당신이 그랬지.

마사 (말도 안 되는 설명을 하느라) 아니, 내가 어떻게 모든 걸 기억하겠냐고. 열다섯 명이나 되는 신임 교수와 빌어먹을 마누라들까지 만났는데……. 물론 여기 있는 사람들은 빼고 하는 얘기야……. (허니가 비실비실 웃으며 고개를 끄덕인다.) ……그걸 전부 다 기억하라고. (사이)

그래서 뭐? 생물학자라고 해. 잘됐네. 생물학이 훨씬 낫네. 덜…… 심오하잖아.

조지 덜 추상적이란 뜻이겠지.

마사 **심오!** 알기 어렵다는 뜻! (조지에게 혀를 내밀어 보인다.) 내게 가르치려 들지 말라고. 생물학이 훨씬 나아. 사물의…… 속살에 그대로 들이대는 학문이지.

(닉이 다시 들어온다.)

자기는 사물의 속살에 들이대는 사람이야.

닉 (보조 탁자에서 술잔을 챙기며) 네?

허니 (아까처럼 낄낄거리며) 당신이 수학과에 있는 줄 알았다지 뭐야.

닉 그랬어야 했나 봐.

마사 지금 있는 곳에 그대로 있으면 돼……. 사물의…… 속살에 들이대면서.

조지 당신 그 표현에 너무 집착하네……. 듣기에 흉측하군.

마사 (조지를 무시하고…… 닉에게) 거기 그대로 있으라고. (소리 내 웃는다.) 거기서도 손쉽게 역사학과를 접수할 수 있을 거야. 빌어먹을, 누군가 언젠가는 역사학과를 접수해야 할 거 아냐. 하지만 우리 조지 어린이는 절대 아냐……. 그렇지, 떨거지? 자긴 아니지?

조지 내 상상 속에서, 마사, 당신은 목까지 시멘트에 파묻혀 있어. (마사가 낄낄댄다.) 아니야…… 코끝까지 파묻혀 있어……. 그래야 훨씬 더 조용하겠지.

마사 (닉에게) 우리 조지 어린이가 자기더러 무서운 사람이라는데. 자기는 왜 무서운 거야?

닉　(보일 듯 말 듯 미소 지으며) 저는 그런 줄 몰랐는데요.

허니　(약간 탁한 목소리) 여보, 자기 염색체 덕택이야.

닉　아, 염색체…….

마사　(닉에게) 그놈의 염색체가 어쨌다는 거야?

닉　어, 염색체란…….

마사　나도 염색체가 뭔지 알아. 나 그거 좋아해.

닉　아…… 그럼 됐고요.

조지　마사는 아침 식사로 염색체를 먹어……. 시리얼에 뿌려 먹지. (마사에게) 마사, 굉장히 간단한 거야. 이 젊은 친구는 염색체를 변형할 수 있는 시스템을 연구하는데…… 혼자서는 아니지, 아마 협잡꾼이 두엇 더 있을걸, 정자 세포의 유전적 형질을 바꾸고 재배열해서 ……사실은 그냥 배열하는 거지…… 머리카락, 눈 색깔, 키, 능력을 조정해……. 털, 외모, 건강…… 그리고 정신. 가장 중요한…… 정신. 모든 불균형은 교정되고 걸러져서…… 다양한 질병을 일으킬 형질은 사라지고 장수 형질은 꼭 챙기고. 우리는…… 시험관과 인큐베이터에서 자란 새로운 인류를 보게 될 거야……. 우수한 최고 형질의.

마사　(감동받아) 허!

허니　굉장한데요!

조지　하지만! 모든 사람들이 거의 똑같이 생겼을걸……. 닮았을 거라고. 모든 이들이……. 난 거의 확신하는데…… 여기 이 젊은 친구처럼 생겼을 테지.

마사　그거 괜찮네, 뭐.

닉　(안절부절못하며) 자, 이제…….

조지　표면적으로 볼 땐 꽤 괜찮을 거야……. 즐거운 세상이지. 하지만 어두운 구석도 있기 마련이야. 어…… 실험이 성공하려면 말이야……. 규제가 어느 정도 필요할 테고. 상당수의 정관은 수술로 묶어 버려야겠지.

마사　허……!

조지　그게 수백만 명이 넘을걸……. 수백만 건의 작은 절제술이 있을 테고, 음낭 아래에 아주 자그마한 상처가 남을 뿐이지. (마사가 소리 내 웃는다.) 하지만 그걸로 불완전하고…… 보기 싫고, 멍청한…… 부적응자들의 씨를 말릴 수 있지.

닉　(음산하게) 이거 보세요……!

조지　……그러면 우리는 더 늦기 전에 영광스러운 인간 종족을 맞이하게 될 거야.

마사　허!

조지　음악, 그림 같은 것은 더 적어질지 몰라도, 매끈하고 금발에다 정확히 미들급인 남자들의 문명 시대가 도래할 것은 확실해.

마사　오오…….

조지　……과학자와 수학자 종족이지. 그들은 모두 초인 문명의 크나큰 영광을 위해 헌신적으로 일할 거야.

마사　좋아, 좋아.

조지　실험 결과로…… 자유는 좀 제한될지도 모르겠어……. 하지만 다양성이란 건 더 이상 추구해야 할 목표가 아니지. 문화와 종족이란 건 종국에 사라져 버릴 것들이니까……. 개미가 세상을 지배할 거야.

닉 다 끝났어요?

조지 (닉을 무시한 채) 그리고 난 이 모든 것에 본래 반대일세. 내 전공은 역사, 나는 그중에서도 가장 유명한 얼간이 중 하나거든…….

마사 하, 하, 하!

조지 ……역사는 그 빛나는 다양성과 예측 불가능성을 잃어버리겠지. 나와 함께 역사의 격변, 다중성, 놀라운 변화의 물결 따위는 다 사라질걸. 질서와 항구성만 존재할 뿐……. 난 결단코 반대지. 나는 베를린을 사수한다!

마사 자기는 베를린을 내놓게 되어 있어. 그 올챙이배로 베를린을 어떻게 사수해?

허니 대체 베를린이 여기서 무슨 상관이 있는지 모르겠네요.

조지 서베를린에는 1.5미터 높이의 스툴이 줄지어 있는 바가 있다고. 땅은…… 바닥은…… 정말이지 저 멀리 있어. 나는 그런 것들을 사수할 거야. 나는…… 절대 포기하지 않아. 젊은이, 난 자네와 싸울 거야. 한 손으론 결단코 내 음낭을 가리고 있어야지……. 나머지 한 손으론 자네와 죽을 때까지 싸울 거야.

마사 (조롱하는 큰 웃음) 만세!

닉 (조지에게) 그렇군요. 그리고 난 미래의 주인공이군요.

마사 그렇고말고.

허니 (꽤 취해서 닉에게) 왜 자기가 이 모든 일들을 다 해야 하는 건데. 나한테는 한 번도 말 안 해 줬잖아.

닉　(화가 나서) 이런 젠장!

허니　(충격) **어머나!**

조지　사회적 적대감은…… 유머 감각의 상실에서 가장 심오하게 드러난다네. 단일 체제는 그 어느 것이든 농담을 받아들이지 못했지. 역사를 읽어 봐. 난 역사를 좀 알거든.

닉　(조지에게, 분위기를 가볍게 만들 요량으로) 댁은…… 과학에 대해서는 잘 모르잖아요?

조지　난 역사를 좀 알아. 난 내가 협박당하고 있는지 정도는 알지.

마사　(닉에게, 음탕하게) 그래, 모두가 자기처럼 보일 거라는 거지?

닉　그럼요. 난 인간 종마가 된다니까!

마사　멋져, 멋져.

허니　(손으로 귀를 막고) 여보…… 그럼 안 돼……. 그럼 안 돼……. 그럼 안 돼.

닉　(안절부절못하며) 미안해, 여보.

허니　그런 말을. 그건…….

닉　미안하다고. 됐어?

허니　(입을 내밀고) 그래…… 됐어요. (갑자기 미친 듯 낄낄거리다 잦아든다. 조지에게) ……댁의 아들은 언제? (다시 낄낄댄다.)

조지　뭐?

닉　(혐오스럽다는 듯) 댁의 아들이 어쩌고 하는데요.

조지　**아들!**

허니 언제…… 어디 있다가…… 집에 오는 거예요? (낄낄거린다.)

조지 아아. (지나치게 격식을 갖춰) 여보? 우리 아들이 언제 오지?

마사 신경 끄셔.

조지 아니, 아니…… 알아야겠어……. 당신이 먼저 얘길 꺼냈잖아. 언제 우리 아들이 집에 오지, 여보?

마사 신경 끄라고 했어. 먼저 그걸 꺼낸 건 미안해.

조지 그걸 꺼낸 게 아니라 아들을 꺼낸 거지. 당신이 아들을 먼저 꺼냈어. 어쨌든. 그 새끼 언제 나타나는 거야, 응? 내일이 그 새끼 생일이라며?

마사 그 이야기는 하기 싫다고!

조지 (짐짓 순진한 체) 하지만 여보…….

마사 **그 이야기는 하기 싫다고!**

조지 그렇겠지. (허니와 닉에게) 마사가 그 얘기는 하기 싫다는데……. 아들 말이야. 마사가 그걸 먼저 꺼내 미안하대. 아들 말이야.

허니 (백치처럼) 그 새끼 언제 집에 오는 거야? (낄낄댄다.)

조지 그래, 마사…… 심술궂게도 당신이 먼저 그 문제를 꺼내 놨으니 말인데…… 그 새끼는 언제 집에 오는 거야?

닉 허니, 당신……?

마사 조지가 애새끼 얘기를 험하게 하는 게…… 그게 문제가 좀 있거든.

조지 그 새끼가 문제가 있어? 무슨 문제가 있어?

마사 그 새끼 말고…… 그렇게 부르는 것 좀 그만둬! 너! 네가 문제가 있다고.

조지 (짐짓 모멸감을 보이며) 내 인생에 그렇게 웃기는 소리는 처음 들어봤는걸.

허니 나도!

닉 허니…….

마사 조지의 가장 큰 문제는 우리 그 새끼가…… 하, 하, 하, 하! ……자기 저 깊은 속내에는 우리 아드님, 우리 장자가 어쩌면 자기 아들이 아닐지도 모른다는 불안감이 있다는 거지.

조지 (아주 진지하게) 오, 맙소사, 당신은 사악한 여인이오.

마사 하지만 자기에게 수백만 번도 넘게 말했듯이…… 나는 당신 외에는…… 다른 이의 아들을 가져 본 적이 없다고. 알잖아, 자기.

조지 진정 사악한 여인이군.

허니 (취중 슬픔에 잠겨) 아이고, 이런, 아이고, 맙소사.

닉 이건 우리가 끼어들 얘기가…….

조지 마사는 거짓말쟁이야. 다들 그걸 알아야 해. 마사는 거짓말쟁이야. (마사가 웃는다.) 이 세상에서 내가 확신할 수 있는 건 몇 개 안 되지만…… 국경선, 해수면의 높이, 정치적 연합, 실생활 속 윤리…… 이런 것에는 더 이상 목숨 걸지 않겠지만…… 하지만 이 망할 놈의 세상에서 내가 확신하는 한 가지는…… 금빛 눈에 푸른 머리칼의 우리 아들……을 만드는 데 내가 염색체상으로 협조했다는 거지.

허니 아, 다행이네!

마사	멋진 연설이었어, 조지.
조지	고마워, 마사.
마사	아주 적절한 타이밍이었어. 잘했어. 정말 잘했어.
허니	좋아……. 정말 좋아.
닉	허니…….
조지	마사는 알지……. 마사가 잘 알아.
마사	(자랑스럽게) 나는 잘 알아. 나도 남들처럼 대학을 나왔거든.
조지	마사도 대학 나왔어. 어릴 때는 수녀원에서 자라기도 했지.
마사	그리고 난 무신론자였어. (자신 없이) 여전히 그래.
조지	당신은 무신론자가 아냐, 마사……. 당신은 이교도야. (허니와 닉에게) 마사는 동부 해안 지역에서 유일하게 진정한 이교도야. (마사가 소리 내 웃는다.)
허니	아, 멋지네. 멋지지 않아요, 여보?
닉	(맞장구치며) 으응…… 굉장해.
조지	마사는 거시기에다 푸른 원을 그리기도 해.
닉	정말?
마사	(변명하듯, 농담처럼) 가끔. (손짓하며) 한번 볼래?
조지	(나무라듯) 쯧쯧.
마사	많이 쯧쯧 하셔……. 갈보 같으니!
허니	남편은 갈보가 아니지……. 갈보가 될 수 없어……. 댁이 갈보지.

(낄낄댄다.)

마사 (허니에게 손가락을 흔들어 대며) 너 입조심해!

허니 (명랑하게) 알았어요. 브랜디 한 잔 더 줘요.

닉 허니, 너무 마신 거 같아…….

조지 무슨 소리! 다들 이제야 준비가 됐는데. (술잔들을 걷어 간다.)

허니 (조지를 흉내 낸다.) 무슨 소리.

닉 (어깨를 으쓱하며) 알았어.

마사 (조지에게) 우리 아들은 푸른 머리칼이 아니야……. 푸른 눈도 아니고. 나처럼…… 녹색 눈이지.

조지 푸른 눈이야, 여보.

마사 (확고하게) 녹색.

조지 (선심 쓰듯) 푸른색이야, 여보.

마사 (인상을 찡그리며) **녹색!** (허니와 닉에게) 우리 애 눈은 세상에서 제일 예쁜 녹색 눈이야……. 밤색이나 회색빛 하나 없이……. 있잖아……. 연갈색도 전혀 섞이지 않았어……. 깊은, 순수한 초록빛 눈……. 나처럼.

닉 (들여다본다.) 밤색 아닙니까?

마사 녹색이라니까! (약간은 너무 빠르다 싶게) 음, 빛이 바뀌면 밤색으로 보이기도 하지만 녹색이라고. 우리 아들 같은 초록색이 아니라……. 연갈색이지. 조지는 연한 푸른 눈이지……. 희멀건 푸른 눈.

조지 마음을 결정해, 여보.

마사 난 당신에게 유리한 쪽으로 말하던 중이야. (다른 사람들을 보고) 우리 아빠도 녹색 눈이지.

조지 절대 아니지! 당신 아버지는 작고 붉은 눈이야……. 흰

쥐같이. 사실 당신 아버지는 흰쥐야.

마사 아빠가 여기 있으면 그런 얘기 감히 못할걸! 겁쟁이!

조지 (허니와 닉에게) 거 왜…… 푸짐한 흰머리 다발, 콩알처럼 반짝거리는 빨간 눈알…… 거대한 흰쥐라니까.

마사 조지는 아빠를 미워해……. 아빠가 뭘 어째서가 아니라 자기가…….

조지 (고개를 끄덕이며…… 대신해서 말을 맺어 준다.) ……못난 탓에.

마사 (명랑하게) 맞아. 정곡을 찔렀어. (조지가 퇴장하는 것을 보면서) 대체 어디로 가는 거야?

조지 술이 좀 더 필요하거든, 마누라.

마사 아. (사이) 그래, 가.

조지 (퇴장하며) 황송하옵니다.

마사 (조지가 사라진 것을 확인한 후) 괜찮은 바텐더야. 훌륭한 술 상무라니까. 엿 같은 새끼, 우리 아빠를 싫어해. 알고 있지?

닉 (분위기를 가볍게 돌리려고) 아, 그만해요.

마사 (기분 상해서) 농담인 줄 알아? 장난인 줄 아는 거야? 난 농담 안 해……. 난 유머 감각이 없거든. (거의 입을 내밀다시피) 난 사람 놀리는 감각은 천부적이지만 유머 감각은 전혀 없어. (확언하듯) 난 유머 감각이 전혀 없어!

허니 (흐뭇하게) 나도 없는데.

닉 (반은 건성으로) 허니, 당신은 유머 감각 있어……. 얌전한 쪽으로.

허니 (자랑스럽게) 고마워.

마사 왜 저 개자식이 우리 아버질 미워하는지 알려 줄까? 알고 싶어? 좋아……. 왜 저 개자식이 우리 아버질 미워하는지 알려 주지.

허니 (관심이 생겨 몸을 획 돌린다.) 그래, 들어 봅시다!

마사 (허니에게, 엄격하게) 어떤 사람들은 다른 사람들의 불운을 먹고 살지.

허니 (상처받고) 아니에요!

닉 허니…….

마사 됐어! 입 닫아! 둘 다! (사이) 됐어, 이제. 엄마가 일찍 돌아가신 후 난 아빠와 함께 살았어. (사이, 생각하다가) ……학교 다니느라 집을 떠나 있기도 했지만 주로 아버지와 함께 살았지. 빌어먹을, 울 아버진 훌륭한 분이야! 난 존경해……. 완전 존경해. 지금도 그래. 아빠도 날 아끼셨지……. 알겠어? 우리는 정말…… 잘 통하는…… 진짜 잘 통하는…… 부녀간이야.

닉 네, 네.

마사 아빠가 이 대학을 세우셨지……. 바닥에서부터 세우셨단 말이야……. 이건 아빠의 인생 전부야. 아빠가 이 대학이야.

닉 으흠.

마사 이 대학이 아빠야. 아빠가 맡았을 때의 자산과 지금 자산이 어떻게 다른지 알아? 언제 한번 찾아보라고.

닉 알아요……. 읽었어요…….

마사 입 다물고 듣기나 해……. (좀 있다가 덧붙인다.) ……자기야. 대학이니 뭐니 끝마치고 난 다음 난 여기 돌아와서…… 좀 퍼져 있었어. 결혼 같은 건 안 했지. 아아, 비슷하게…… 한 적은 있어……. 머프 여자……대학 2학년 때 일주일간. 나중에 생각해 보니 그 결혼은 일종의 『채털리 부인의 사랑』 소녀판 같은 거였어. (닉이 소리 내 웃는다.) 그 남자는 학교에서 잔디 깎는 사람이었는데 홀떡 벗고 커다란 잔디 깎는 기계를 타고선 풀밭을 깎고 다녔지. 그런데 아버지와 머프 교장이 짜고선 그 결혼 사건에 종지부를 찍었어……. 정말로 신속하게…… 무효화해 버렸어……. 우스운 일이지……. 낙장불입이란 말도 있는데. 하! 어쨌든 난 다시 처녀가 되었고 학교를 마치고…… 정원사 총각이 사라져 볼거리가 하나도 없는 그곳을 떠나와서 잠시 퍼져 있었어. 난 안주인 노릇을 하면서 아버지도 돌봤어……. 괜찮았어. 상당히 괜찮았어.

닉 네…… 네.

마사 무슨 소리야, 네, 네라니? 뭘 알기나 해?

(닉이 맥없이 어깨를 으쓱한다.) 귀여운 것.

(닉이 약간 미소 짓는다.) 그때쯤 난 학교 안에서 결혼해야겠다는 그럴 듯한 생각을 하게 되었지……. 나중에 알고 보니 형편없이 어리석은 생각이었지만. 아빠는 지속성에 대한…… 역사관이 있었거든……. 여기 와서 내 곁에 좀 앉지 그래?

닉 (거의 딴전을 피우고 있는 허니를 가리키며) 어…… 그게 좀…….

마사 맘대로 하셔. 지속적으로…… 역사를 만들어 가려고 하는…… 아버진 항상…… 누군가 키워서…… 당신 물러난 후에 일을 맡기려는 생각이 있었어. 계승……. 무슨 말인지 알지?

닉 예, 알아요.

마사 당연한 일이지. 뭔가를 이루면 그걸 누군가에게 물려주고 싶은 법이지. 그래서 나는 신임 교수들을…… 살펴보고 있었던 셈이야. 후계자 말이야. (소리 내 웃는다.) 아빠는 나를 기어코 결혼시켜야 한다고는 생각하지 않았어. 내가 무슨 치워 버려야 할 골칫거리도 아니고…… 상을 받으려면 날 데려가야 한다, 그런 것도 아니잖아. 그런 생각을 품고 있던 건 오히려 나였지. 그런데 당연한 거지만…… 신임들 대부분이 기혼자거든.

닉 그렇죠.

마사 (기묘한 미소를 지으며) 자기처럼 말이야.

허니 (아무 생각 없이 되풀이한다.) 자기처럼 말이야.

마사 (비꼬는 투로) 그런데 그때 조지가 왔어……. 조지가 나타났지.

조지 (술을 들고 다시 등장해) 그때 조지가 나타났지, 술을 들고. 뭐 하는 거야, 당신?

마사 (전혀 개의치 않고) 얘기하는 중이야. 앉아……. 배울 게 있을 거야.

조지 (여전히 서 있다. 카운터에 술을 내려놓는다.) 좋지.

허니 오셨군요!

조지 그럼.

허니　여보! 그분이 오셨어!

닉　응, 그래…… 봤어.

마사　어디까지 했더라?

허니　돌아오셔서 정말 기뻐요.

닉　쉬이잇.

허니　(흉내 낸다.) 쉬이잇.

마사　아, 맞아. 그리고 조지가 나타났지. 그래. 젊고…… 지적이고…… 촌놈인 데다…… 귀여운 구석도 있고…… 상상이 안 가겠지만…….

조지　……게다가 연하…….

마사　……게다가 연하…….

조지　……여섯 살이나…….

마사　……여섯 살이나……. 난 그런 거 신경 안 써, 조지……. 그렇게 조지가 나타났어. 눈을 반짝이면서 역사학과에 짜잔 하고. 멍청한 암탉 같은 내가 어떻게 한 줄 알아? 어쨌게? 홀딱 빠져 버린 거야.

허니　(몽롱하게) 아, 멋지다.

조지　그랬지. 그 꼴을 봤어야 했는데. 밤에 숙소 바깥 풀밭에 앉아 그르렁거리며 잔디를 쥐어뜯는 꼴이라니……. 일을 할 수가 없더라고.

마사　(아주 신나게 웃는다.) 완전히 빠졌지……. 바로 그거야.

조지　마사는 마음속으론 낭만주의자야.

마사　맞아. 그래서 완전히 빠져 버렸어. 게다가 우리 둘의 결합은…… 현실적으로도 괜찮게 보였거든. 아빠가 후일…….

조지　잠깐, 마사…….

마사　……일을 관둘 때…….

조지　(냉혹하게) 잠깐, 마사.

마사　…… 대신 맡아 줄 사람이 필요하니까, 내가…….

조지　**그만둬, 마사!**

마사　(성가셔하며) 왜 야단이야?

조지　(지나치게 참을성 있게) 여보, 난 당신이 우리 연애담을 풀어 놓고 있는 건 줄 알았어……. 다른 얘기까지 건드리는 줄 몰랐어.

마사　(태연하게) 그래, 그랬어!

조지　나라면 안 그럴걸.

마사　아…… 안 그러시겠다? 그래, 하지 마!

조지　당신 벌써 그 얘기도 흘린 마당에…….

마사　(회피하며) 뭐? 뭘?

조지　……우리 가장 소중한 것…… 씨앗…… 새끼…… (내뱉는다.) …… 우리 아들……. 게다가 다른 얘기까지 건드린다면, 경고하지만 여보, 나 화낼 거야.

마사　(비웃는다.) 아, 그러셔?

조지　경고하는 거야.

마사　(못 믿겠다는 듯) 뭐 한다고?

조지　(아주 조용하게) 경고하는 거라고.

닉　우리가 정말 이런 것까지……?

마사　나 경고 먹었어! (사이…… 다시 허니와 닉에게) 어쨌든 그래서 난 그 개자식과 결혼을 했고 계획을 다 세워 뒀어……. 데릴사위였고…… 후계자가 될 예정이었지.

언젠가 일을 물려받을 테지……. 우선 역사학과를 접수하고 나면 아버지가 은퇴하실 때 대학을 접수하는 거지……. 알겠어? 그렇게 될 거였어.

(카운터로 몸을 돌리고 있는 조지에게)

자기 화났어? 그런 거야? (다시) 그렇게 될 거였지. 아주 간단명료해. 아빠도 그 생각이 좋다는 눈치였어. 한참 그랬어. 그런데 한 이삼 년 두고 보니! (다시 조지에게) 더 열 받고 있는 거야? (다시) 그런데 한 이삼 년 두고 보니 이게 별로 좋은 생각 같지 않았거든……. 우리 조지 어린이가 그게 없는 거야. 속에 그게 없더라고!

조지 (여전히 등을 돌리고) 그만해, 마사.

마사 (짓궂게 의기양양하여) 엿이나 먹어! 이봐, 조지는 말이지…… 배짱이 없었어……. 그다지…… 저돌적이지가 않아. 조지는 오히려…… (조지의 등에다 대고 말을 내뱉는다.) 얼간이야! 무지…… 완전 …… 왕…… **얼간이!**

(쾅! '얼간이'라는 말이 떨어지기 무섭게 조지가 카운터에 병을 부딪쳐 깨뜨린다. 여전히 그는 등을 돌리고 병목 부분만 붙잡고 있다. 모두 얼어붙은 채 침묵이 흐른다. 그리고……)

조지 (울부짖다시피) 그만하라고 했어, 마사.

마사 (어떻게 반응할지 생각하다가) 빈 병이었겠지, 조지. 아까운 술을 낭비할 수는 없지……. 그 월급에.

(조지가 꼼짝 않은 채 깨진 병목을 바닥에 떨어뜨린다.)

부교수 월급에. (닉과 허니에게) 도대체…… 이사회 만

찬에나 기금 모집에나…… 쓸모가 없더란 말이지. 인간적인…… 매력이 있길 하나. 무슨 말인지 알겠지? 아빠에게는 실망스러운 일이었겠지. 그렇게 해서 난 여기서 이 얼간이와 껌처럼 붙어 있게 된 거야…….

조지 (몸을 돌리며) …… 그만해 둬, 마사…….

마사 …… 역사학과의 **막장**…….

조지 …… 그만, 마사, 그만…….

마사 (조지의 목소리에 지지 않으려고 언성을 높이며) ……총장 딸과 결혼해 한가락 할 줄 알았는데, 무명씨에다 책벌레…… 잡생각만 많고, 아무것도 되는 것 없고, 배짱은 없어서 누구에게도 자랑거리가 되지 못하고…… **됐어, 조지!**

조지 (마사의 목소리에 눌려 있다가 점점 회복해 마사를 능가한다.) 그만하라고 했어. 그만…… 그만. (노래한다.)
누가 두려워하랴, 버지니아 울프,
버지니아 울프, 버지니아 울프,
누가 버지니아 울프를 두려워하랴, 이른 아침에.

조지, 허니 (술에 취한 허니가 같이 부른다.) 누가 두려워하랴,
버지니아 울프,
버지니아 울프,
버지니아 울프……. (계속)

마사 **그만해!**

(짧은 침묵.)

허니 (일어나서, 복도를 향해 가며) 속이 거북해……. 속이 거북해……. 토할 거 같아.

(퇴장.)

닉 (따라가며) 억, 맙소사!

(퇴장.)

마사 (그들 뒤를 따라가며 조지를 경멸하듯 쳐다본다.) 젠장! (퇴장. 조지 혼자 무대에 남는다.)

(막)

2막

발푸르기스의 밤

조지, 혼자 있다. 닉이 다시 들어온다.

닉 (잠깐의 침묵 후) 저…… 아내는…… 괜찮은 거 같아요. (대답이 없다.) 술을 마시면…… 안 되는 사람이죠. (대답이 없다.) 몸이…… 약하거든요. (대답이 없다.) 어…… 히프가 빈약한 사람이잖아요, 말씀하셨다시피. (조지가 애매하게 웃는다.) 정말 죄송합니다.

조지 (조용하게) 우리 자기는 어디 있지? 마사 어딨어?

닉 커피 내리고 있어요……. 부엌에서. 그녀는…… 곧잘 비위가 상하더라고요.

조지 (딴생각하느라) 마사? 아니, 아냐, 마사는 평생 한 번도 속이 뒤집어져 본 적이 없어. 요양원에 있을 때는 예외였지만…….

닉 (또한 조용하게) 아니, 아니요. 제 아내 말입니다…….

제 아내가 비위가 잘 상한다는 뜻입니다. 마사는 댁의 부인이시죠.

조지 (구슬프게) 아, 그래…… 맞아.

닉 (진술하는 투로) 요양원에 있었던 적은 없잖아요.

조지 자네 아내?

닉 아니요. 댁의 부인.

조지 아! 내 아내. (사이) 맞아, 맞아. 그런 적 없어……. 나라면 그랬겠지. 만약 내가 마사라면…… 그럴 거야. 그렇지만 난 내 아내가 아니지……. 그러니 안 그러지. (사이) 하지만 그러고 싶어. 여기선 가끔 분위기가 너무 발랄해지거든.

닉 (덤덤하게) 예…… 그렇죠.

조지 흠, 직접 보기도 하셨지.

닉 그러려던 건 아니지만…….

조지 끼어들었지. 응? 그 말 아닌가?

닉 예…… 그렇죠.

조지 나 같으면 안 그럴 테지.

닉 좀…… 민망해서요.

조지 (냉소적으로) 아, 그래? 그랬나?

닉 예. 정말이지. 상당히.

조지 (흉내 내며) 예. 정말이지. 상당히. (큰 소리로 독백) **역겨워!**

닉 이것 보세요! 제가 뭘 어쨌다고…….

조지 **역겹다고!** (조용히, 그러나 강렬하게) 내가…… 사람들 앞에서…… 그 뭣이냐…… 웃음거리가 되고, 뭉개지는 걸…… 좋아하는 줄 아나? (경멸적으로 손을 저어 물리치는 시늉을 하며) **엉?** 내가 그런 걸 즐기는 줄 아나?

닉 (냉랭하게, 무정하게) 아니, 아뇨……. 전혀 즐기시진 않겠죠.

조지 아, 그래, 그렇게 생각한단 말이지?

닉 (덤비듯) 네…… 그렇게 생각합니다!

조지 (움츠러들며) 이해해 준다니 고맙군……. 자네…… 자네가 공감해 준다니 눈물이 날 지경이야! 짜고 비과학적인 눈물이 왕방울만 하게 뚝뚝!

닉 (매우 멸시하는 태도로) 왜 다른 사람들을 억지로 끌어들이려고 하는지 알 수가 없군요.

조지 내가?

닉 댁이랑 그쪽…… 부인께서…… 서로 한바탕하려는 것이라면, 한 쌍의…….

조지 내가! 왜 내가 그러겠나!

닉 ……짐승처럼 말이죠, 그러면 왜 아무도 없을 때 그러지…….

조지 (분노를 큰 웃음소리로 넘기며) 이런, 잘난 체 빼기기만 하는, 책버러지…….

닉 (진짜 협박조) **그만……하시지…… 형씨!**
(침묵) 좀…… 조심하시라고요!

조지 ……과학자 양반.

닉 난 나이 많은 사람 치기 싫거든.

조지 (생각해 본다.) 아. (사이) 그래서 젊은 사람…… 어린아이…… 여자…… 새……만 치신다고. (닉이 재밌어하지 않자) 아, 그래, 물론 자네 말이 맞아. 중년의 부부 한 쌍이 서로 할퀴고 얼굴을 붉히고 헉헉거리면서 싸우는데 그중 반은 헛발질이니…… 마냥 즐거운 광경은 아니겠지.

닉 아, 헛발질은 없던데……. 두 사람은 상당히 노련해요. 인상적이던데요.

조지 인상적인 것인 것에 깊은 인상을 받지, 자네는. 안 그래? 자네는…… 쉽게 인상을 받는…… 실용적 이상주의라고나…… 할까.

닉 (경직된 미소를 지으며) 아니, 어떤 때는 좋아하지 않는 것에 감탄하기도 해요. 저기, 난 가죽 채찍에 흥분하지는 않지만…….

조지 ……채찍질에 능한 꾼은 맘에 든다는 말씀이지…… 진짜 프로는.

닉 으흠…… 그렇죠.

조지 마누라가 많이 토하는 편인가, 응?

닉 그렇게 말하지는 않았어요……. 쉽게 속이 거북해진다 그랬지.

조지 아. 난 또 거북해진다고 하기에…….

닉 아아, 그렇긴 해요……. 아내는…… 많이 토하죠. 시작했다 하면…… 멈추질 못해요……. 몇 시간씩이나…… 토하고 있다니까. 항상 그런 건 아니지만…… 주기적으로 그러죠.

조지 때를 알 수 있다는 말이지?

닉 대략.

조지　술 때문에?

닉　당연히 그렇죠. (염증 난다는 듯한 표정 외에는 다른 느낌 없이, 조지가 술잔을 카운터로 가져가는 동안) 임신을 해서 결혼해야 했어요.

조지　(사이) 그래? (사이) 하지만 애가 없다고 했잖아……. 아까 물어봤을 때…….

닉　실은…… 임신이 아니었죠……. 상상 임신이었어요. 불러 오다가 꺼졌죠.

조지　불러 왔을 때, 자넨 결혼했고.

닉　그리고 꺼졌고.

(둘이 소리 내어 웃다가 자신들의 행동에 다소 놀라는 눈치다.)

조지　어…… 버번은 괜찮겠지.

닉　아…… 예, 버번 좋아요.

조지　(여전히 카운터에서) 열여섯에 대학 예비 학교에 갔을 때는 까마득한 옛날이었는데, 방학 첫날이면 고향 집으로 각자 흩어지기 전에 친구들 몇 명이 어울려 뉴욕에 가곤 했지. 갱단에 있던 친구 아버지가 운영하던 술집이 있어서 저녁에 여럿이서 함께 가곤 했어, 이때가 금주법이라는 위대한 실험을 하던 기간이라 술꾼들에겐 어려웠지만 깡패와 경찰들에겐 좋은 시절이었거든, 우린 그 술집에 가서 어른들과 술을 마시며 재즈를 듣곤 했지. 한번은 우리 중 한 녀석이, 열다섯 살이었는데, 얘가 몇 년 전에 고의라고는 없이, 우연히, 순전히 우연히, 제 엄마를 총으로 쏴 죽인 놈이었어…….
어느 날 저녁 술집에 이놈과 함께 갔는데, 전부 술을 시켰는데 제 차례가 오니까 이놈이 벌진*이요…… 벌진 주세요…… 벌진과 물을 주세요, 이러는 거야. 우리 모두 웃어 젖혔지……. 그놈은 금발에 천사 같은 얼굴을 하고 있었는데 우리가 모두 웃어 젖히니까 볼이 빨갛게 되더니 목까지 벌개졌거든. 양아치 같은 웨이터 녀석이 옆 테이블 손님들에게 이놈이 말한 대로 흉내를 냈더니 그쪽도 뒤집어졌어. 점점 더 얘기가 퍼져서 점점 더 웃고 더 뒤로 나자빠지고, 하지만 우리만큼 웃는 사람들은 없었어. 그중에서도 자기 어머니를 쏴 죽인 그놈이 제일 넘어갔지. 곧 술집 안 모든 사람들에게 웃는 이유가 알려지고 모두 벌진을 시켰어. 주문할 때마다 웃음이 터지고. 곧 웃음이 잦아들긴 했지만 완전히 사라지진 않았어. 아주 오랫동안. 왜냐면 여기저기서 벌진을 주문했고 새로 웃음이 터져 나왔으니까 말이야. 그날 밤 우린 모두 공짜로 마셨고 매니저가 샴페인을 내줬어. 갱단에 있던 우리 친구 아버지가 매니저였으니까. 아, 물론 다음날 우리 모두 고생 좀 했지. 뉴욕을 떠나 고향 가는 기차 안에서 어른들처럼 숙취로 고생했지……. 하지만 그때가 내…… 젊은 시절 제일 멋진 날이었어.

---

* virgin(버진)을 bergin으로 잘못 발음한 것.

(말을 하며 닉에게 술잔을 건네준다.)

닉　(매우 조용하게) 고맙습니다. 그 소년은…… 어머니를 쏴 죽인 그 소년은…… 어떻게 됐습니까?

조지　알 거 없어.

닉　알았어요.

조지　이듬해 여름 어느 시골길에서 그 소년은 운전 연습용 면허증을 주머니에 넣고 아버지를 옆에 태운 채 운전을 하다 고슴도치를 만났어. 그걸 피하려고 차를 돌리다 큰 나무를 정통으로 받았지.

닉　(약하게 애원하듯) 저런.

조지　물론 자기는 죽지 않았어. 병원에서 의식이 돌아오고 고비를 넘기자 아버지가 죽은 것을 알게 되었는데 큰 소리로 웃었다고 하더군. 웃음이 점점 더 커지기만 하고 멈출 줄 몰라 팔에다 주사 바늘을 찔러 넣어 잠을 재우니 겨우 가라앉았다고 하더군……. 멈춘 거지. 부상에서 회복하고 반항해도 위험하지 않을 때쯤 정신병원으로 옮겨졌어. 삼십 년 전이야.

닉　여전히…… 거기 있나요?

조지　아, 그럼. 삼십 년간…… 단 한…… 마디도…… 하지…… 않았다고 하더군.

(오 초 정도의 좀 긴 침묵.)

마사! (사이) **마사!**

닉　커피 내리고…… 있다고요.

조지　불렀다 꺼졌다 하는 자네 마누라를 위해서지.

닉　　예전에. 그랬다고요.

조지　예전에. 이젠 안 그래?

닉　　안 그래요. 아무것도 없어요.

조지　(동정 어린 침묵 후에) 인간에게 있어 가장 딱한 일은…… 아니, 아니, 인간에게 가장 딱한 일 중의 하나는 늙어 가는 거지……. 어떤 사람들은 말이야. 정신병자들에 대해 아나? 알아? ……조용하게 미친 사람들 말이야.

닉　　아니요.

조지　그치들은 안 바뀌어……. 늙지를 않아.

닉　　그럴 리가.

조지　음, 결국엔, 막판에는, 늙겠지. 하지만 일반적인 의미에서…… 늙지를 않는다니까. 피부가 팽팽하고 투명해……. 그…… 모든 걸 별로 쓰지를 않으니까…… 온전하게 남아 있는 거야.

닉　　좋아 보인다는 뜻인가요?

조지　아니. 그렇지만 어떤 것들은 슬픈 일이지. (응원하듯이) 고개 들고 당당하게 맞서 싸우자. 기운 내자! (사이) 마사는 상상 임신하지 않아.

닉　　제 아내도 한 번 했을 뿐입니다.

조지　그래. 마사는 도대체 임신이란 걸 한 적이 없어.

닉　　그런가요……. 말이 안 돼……. 다른 아이는 없어요? 딸이나 다른 자녀 아무도?

조지　(엄청난 농담이라도 되는 것처럼) 다른 뭐?

닉　　다른 아이요……. 그러면, 외동……아들…… 하나뿐인가요?

조지 (은밀하게) 아…… 그래……. 하나…… 외동……아들 하나뿐.

닉 아…… (어깨를 으쓱하며) ……좋네요.

조지 아, 하하. 그래, 맞아, 그 아이는…… 우리 위안거리이자 장난감이지.

닉 뭐요?

조지 장난감. 장난감. 자넨 이해 못 할걸. (지나칠 정도로 분명하게) 장……난……감.

닉 들었어요……. 귀가 안 들려서가 아니라…… 이해하지 못했다고요.

조지 그런 말은 안 했잖아.

닉 이해하지 못했다는 의미였습니다. (작은 소리로) 젠장!

조지 성질부리는군.

닉 (통명스럽게) 죄송합니다!

조지 난, 우리 아들이…… 우리 눈알 셋에 넣어도 아프지 않을 아이가, 마사는 외눈박이 괴물이거든…… 우리 아들이 장난감이라고 했을 뿐인데, 자네가 성질을 부리고 있네.

닉 죄송하다고요! 늦은 시각이고 난 지쳤어요. 9시 이후로 계속 마시고 있고 아내는 토하고 있고 이 집에서는 계속 고함이 터져 나오고…….

조지 그러니 성질을 부리는 거지. 당연해. 그런 거…… 걱정 말게. 여기 오는 누구든지…… 성질이 더러워지지. 그러려니 한다네……. 기분 상해하지 마.

닉 (통명스럽게) 기분 상한 게 아니에요.

조지 성질부리는 거지.

닉 그래요.

조지 부인들께서 여기 안 계신 동안…… 명확히 해 둘 게 있네……. 마사가 말한 것에 대해 명확히 해 둘 게 있다고.

닉 시비를 가려 가며 들은 게 아니니까…… 그러실 필요 없어요, 다만…….

조지 아, 내가 그러고 싶어. 자네가 끼어들고 싶어 하지 않는 건 알겠네……. 자넨…… 뭐랄까, 더 좋은 표현이 없군, 삶을…… 대면했을 때 과학적인 거리를 두고 싶어 하지……. 그러나 난 말해야겠어.

닉 (뻣뻣하게 굳은 미소로) 나야…… 손님이니까. 좋으실 대로 하시죠.

조지 (감사한 척) 오…… 그래, 고맙네. 자, 이제! 몸도 더워지고 피도 좀 도는군.

닉 아, 그런 식이라면…….

마사의 목소리 **어이!**

닉 ……만약 그런 식으로 또 시작할 거라면…….

조지 들어 봐! 숲에서 나는 소리다.

닉 응?

조지 야생 동물의 소리.

마사 (고개를 들이밀며) 어이!

닉 아!

조지 아아, 여기 아줌마 오셨네.

마사 (닉에게) 우리 앉아서…… 커피 마시는 중이니까, 좀 있다 올게요.

닉 (일어나지 않고) 아…… 뭐 제가 할 일이라도?

마사 없어요. 그냥 여기 앉아서 조지의 횡설수설이나 듣고 계셔. 지겨워 죽을걸.

조지 괴물!

마사 돼지!

조지 짐승!

마사 날강도!

조지 갈보!

마사 (멸시하듯 손을 내저으며) 그래애! 둘이서 잘들 놀고 계시라고……. 곧 올 테니. (나가며) 어질러 놓은 건 청소하시고, 응?

조지 (마사 퇴장. 조지는 아무도 없는 현관 복도에 대고 말한다.) 아니, 여보. 난 내가 어질러 놓은 것들 치우지 않았어. 지난 몇 년간 내가 어질러 놓은 것들을 치우느라 고생했거든.

닉 그랬어요?

조지 엉?

닉 몇 년간이나 고생했어요?

조지 (긴 침묵 끝에…… 닉을 쳐다보며) 수용, 순응, 조절……. 그게 일의 순서인 것 같지, 응?

닉 댁과 같은 급으로 취급하지 마세요!

조지 (사이) 아. (사이) 아니, 물론 안 그래. 자네에겐 더 단순하지……. 배가 불러 오면 결혼하고……. 그런데 나는, 구닥다리처럼 서투르게도…….

닉　단지 그것만은 아니었어요!

조지　그렇고말고! 물론 돈도 있었겠지!

닉　(상처 받은 듯. 잠시 후 마음을 다잡고) 그래요.

조지　그랬어? (기쁨에 넘쳐) 그랬어! 내가 맞았다고? 정곡을 찔렀어?

닉　이봐요, 나는…….

조지　오, 신이여, 나는 명사수로군요! 게다가 단번에. 어때!

닉　이봐요…….

조지　다른 것들도 있었다고.

닉　예.

조지　보상할 만한 것들.

닉　예.

조지　그런 게 있기 마련이지. (닉이 거칠게 반응하려 하자) 아니, 그런 건 있게 마련이야. 꼭지 돌게 하려는 게…… 아냐. 언제나 보상해 줄 만한 요소들이 있게 마련이라고……. 마사와 내 경우에도 그렇듯이…… 자, 표면적으로 볼 때에야…….

닉　우리는 어릴 때부터 같이 컸거든요…….

조지　……표면적으로야, 치고받고 야단법석 같겠지만…….

닉　우린 어릴 때부터 같이 컸다고요, 그러니까, 언제더라, 여섯 살 때부터인가…….

조지　…… 그렇지만 애초에, 내가 처음 뉴카르타고로 온 그때, 어딘가 깊은 이면에서는…… 그때는…….

닉　(성가시다는 듯) 죄송합니다.

조지　엉? 아. 아냐, 아냐……. 내가 미안하지.

닉　아니…… 이제…… 됐어요.

조지　아냐…… 먼저 얘기하게.

닉　아니…… 얘기하세요.

조지　부탁이야……. 자넨 손님이니까. 먼저 해.

닉　뭐, 이젠…… 실없는 얘기 같아서요.

조지　허튼소리! (사이) 자네가 여섯 살이었으면, 부인은 네 살 정도였겠군.

닉　내가 여덟 살…… 아내가 여섯 살이었는지도 몰라요. 우리는…… 의사 놀이를…… 하고 놀았죠.

조지　아주 건전한 이성 관계의 시작이지.

닉　(소리 내 웃으며) 그렇죠.

조지　그때도 과학자였군, 응?

닉　(웃는다.) 예. 그리고 우리 가족은 늘…… 당연하게…… 생각했어요. 우리도 그랬던 것 같아요. 그래서…… 했지요.

조지　(사이) 뭘 해?

닉　결혼을요.

조지　여덟 살 때?

닉　아니, 아니요. 물론 아니죠. 훨씬 뒤에 말이죠.

조지　괜히 의아해했군.

닉　우리 결혼은…… 처음부터…… 무슨 특별한 열정이 있었던 것 같지 않아요.

조지　으음, 의사 놀이를 한 다음에야, 뭐 놀라울 것도 하늘 무너질 대발견도 있을 수 없지 않겠나.

닉　(불확실하게) 그렇죠…….

조지 모든 건 결국 어슷비슷한 거지……. 중국 여자가 이러니저러니 말은 많아도…….

닉 무슨 뜻이죠?

조지 새로 채워 줌세. (닉의 잔을 가져간다.)

닉 아, 고맙습니다. 꽤 마셨는데 별로 취하질 않으시네요, 그렇죠.

조지 아니, 취하지……. 하지만 좀 달라……. 모든 게 느려진다네……. 술에 절어 버리는 거지……. 아니면 자네 아내처럼…… 몽땅 게우고…… 다시 시작할 수 있는데.

닉 동부에 오니 상당히 많이들 마시더군요. (생각해 보다가) 중서부에서도 꽤들 마시는구나.

조지 이 나라는 워낙 마셔 대는 곳이야. 앞으로도 훨씬 더 많이 들이부을걸……. 만약 살아남아 있다면. 아랍인이나 이탈리아인이라야 되는데……. 아랍인은 마시질 않고 이탈리아인은 별로 취하질 않지. 종교 기념일은 예외지만. 우리는 크레타 섬 같은 데 살아야 해.

닉 (냉소적으로…… 썰렁한 농담을 하듯) 그러면 다들 크레틴병에 걸려 바보가 되겠죠.*

조지 (약간 놀라며) 그렇겠군. (닉에게 술잔을 건넨다.) 자네 아내 재산에 대해 얘기해 보게.

닉 (갑자기 의심스러운 눈초리로) 왜요?

조지 그래…… 그럼 하지 마.

---

* 크레타 섬(Crete)과 크레틴병 환자(cretin)의 발음이 비슷한 것을 이용한 말장난. cretin은 바보, 백치를 뜻하기도 함.

닉 왜 우리 마누라 재산에 대해 알려고 하는 거죠? (인상을 찡그리며) 엉?

조지 그저, 그럼 재밌을 것 같아서.

닉 아니, 그래서가 아니죠.

조지 (여전히 능글맞게) 그래…… 내가 자네 아내 재산에 대해 알고 싶은 이유는…… 그 방법론이 궁금해서……. 자네 같은 미래의 주인공들이 작업하는 실용적인 수용 과정이 궁금하기 때문이지.

닉 또 시작하는군요.

조지 내가? 아냐. 이봐…… 마사도 재산이 있어, 마사의 아버지는 이 학교를 오랫동안 수탈해 왔기 때문에…….

닉 아니에요. 그러지 않으셨어요.

조지 안 그랬어?

닉 안 그랬어요.

조지 (어깨를 으쓱한다.) 그런가……. 그러면 마사의 아버지는 이 학교를 오랫동안 수탈해 오지 않았기 때문에 마사는 돈이 없다, 됐어?

닉 내 아내의 재산에 대해 이야기하고 있었죠…… 댁의 부인이 아니라.

조지 좋아…… 얘기해 봐.

닉 싫어요. (사이) 우리 장인은…… 하느님을 팔아먹고 살면서 돈을 엄청 벌었어요.

조지 무슨 종교였는데?

닉 그는…… 우리 장인은…… 여섯 살인가 됐을 때 하느님의 부름을 받아 설교를 시작했고 세례를 주고 구원

했다더군요. 순회강연을 하며 상당히 유명해졌는데……
누구누구만큼은 아니지만, 상당히 유명해졌대요…….
죽을 때 상당한 돈을 남겼지요.

조지 하느님의 돈.

닉 아니…… 자기 자신의 돈.

조지 하느님의 돈은 어떻게 됐어?

닉 하느님의 돈은 쓰고…… 자기 돈은 저축했어요. 병원을 짓고, 자선단을 보내고, 화장실은 집 안에 들이고 사람은 뙤약볕 내리쬐는 바깥으로 내보내고, 교회 비슷한 것을 세 채 짓고 와중에 두 채는 불타고……. 마지막에 죽을 땐 아주 부자였지요.

조지 (생각해 보다가) 멋진 얘긴데.

닉 예. (사이. 잠시 낄낄 웃는다.) 그렇게 해서 아내는 돈이 생겼지요.

조지 하느님의 돈은 아니지.

닉 아니죠. 아내 돈이죠.

조지 멋진 얘긴 것 같아.
(닉이 잠시 낄낄 웃는다.) 마사가 부자가 된 것은 마사 아버지의 두 번째 부인 덕분이었어……. 마사의 어머니는 아니고, 마사 어머니가 죽은 후 들어온 사람이었는데…… 사마귀를 달고 있었고 아주 부자인 노인네였지.

닉 마녀였구나.

조지 좋은 마녀였지. 흰 생쥐와 결혼한…….
(닉이 낄낄대기 시작한다.)

……작고 빨간 눈……. 그리고 그 생쥐가 사마귀를 먹어 치워 버렸나 봐. 결혼하자마자 연기로 변해 하늘로 올라갔거든. **붕!**

닉　**붕!**

조지　**붕!** 남은 건 사마귀 치료제와 엄청난 유산이었지……. 뉴카르타고 시를 위해서 한 덩어리, 대학을 위해 한 덩어리, 마사의 아버지를 위해 한 덩어리, 그리고 마사를 위해 이만큼.

닉　(제정신이 아니다.) 어쩌면…… 어쩌면 우리 장인과 사마귀 달린 마녀가 같이 어울려 놀았을지도, 장인도 생쥐였으니까.

조지　(닉을 채근하며) 그랬어?

닉　(무너지듯) 그럼요……. 교회를 파먹는 생쥐였지! (엄청나게 웃어 대는데 구슬프다. ……결국 잦아들고 조용해진다.) 부인은 계모 얘기를 전혀 안 하시던데.

조지　(생각해 본다.) 아…… 거짓말인가 보지.

닉　(미간을 좁히며) 사실일 수도 있고.

조지　그럴 수도 있고…… 아닐 수도 있고. 이거, 자네 얘기가 훨씬 더 근사한걸……. 배불뚝이 아내와 목사 장인…….

닉　목사가 아니라고요……. 하느님의 사람이었다니까요.

조지　그래.

닉　아내는 배불뚝이가 아니라…… 부풀어 오른 거고.

조지　그래, 그래.

닉　(낄낄대며) 똑바로 해야지.

조지　미안……. 그러지. 미안.

닉　됐어요.

조지　내가 이런 얘기를 끌고 들어오는 건 자네 끔찍한 인생 이야기에 관심이 있어서가 아니라, 자네가 내 인생의 직접적이고 지속적인 위협을 대표하기 때문이야. 그건 물론 알고 있겠지. 난 그 증거를 잡고 싶은 거라네.

닉　(여전히 재밌어하며) 물론…… 그렇겠죠.

조지　내가…… 내가 경고했겠다……. 긴장하라고.

닉　긴장하고 있습지요. (소리 내 웃는다.) 당신네 같은 비열한 인간형이 제일 무섭다니까. 무력하기만 한 개자식들……. 제일 싫어.

조지　맞아……. 우리가 그래. 비열하지. 자네 같은 차가운 푸른 눈에 주먹질이나 하고…… 단단한 황금 사타구니에 발길질이나 하고…… 우리가 최악이야.

닉　암.

조지　아아, 자네가 날 믿지 않아서 다행이야……. 자네도 나름 역사가 있겠으나…….

닉　아하, 아니요. 역사는 댁한테 있는 거지……. 내겐 생물학이 있고. 역사학. 생물학.

조지　그 차이는 나도 알아.

닉　알지만 행동은 못 하면서.

조지　못 해? 자네가 우선 역사학과를 접수한 후 전체를 접수할 거라고 우리 합의한 줄 알았는데. 거 왜…… 한 번에 하나씩.

닉　(기지개를 켜고…… 여유롭게…… 말장난하듯) 아아니……. 내가 하고 싶은 건…… 빙빙 돌면서, 에둘러 말하며,

약점을 찾아내고, 부추겨서, 죄다 내 이름을 붙이고……
기정사실로 만들어서, 그리고…… 그 뭐더라……?

조지 필연성.

닉 맞아……. 필연성. 그…… 노인네들로부터 강의를 접수하고 내 친위대를 만들고…… 관련된 사모님들 밭을 갈아 주고…….

조지 바로 그거야! 원하는 대로 강의를 다 접수해서 자네 좋을 대로 체육관에다 젊은 피들을 키우는 거야. 하지만 관련 사모님들 밭을 갈아 줘야 비로소 비즈니스가 시작되지. 남자 속을 아는 지름길은 그 여편네의 배 위에 있다니까. 잊지 말라고.

닉 (여전히 농지거리로) 그래, 알아…….

조지 여기 여자들은 푼타와 다를 게 없어. 거 있잖아, 밤의 남미 여자들. 자네, 남미…… 리오의 그 여자들이 어떤지 알아? 푼타들? 알아? 거위처럼…… 쉭쉭거려……. 거리에 몰려서서 자넬 보고 쉭쉭거린다고……. 거위 뭉텅이처럼 말이야.

닉 모리.

조지 뭐?

닉 거위 모리……. 뭉텅이가 아니고.

조지 아, 조류학적으로 한번 해 보자는 거지……. 모리가 아니라 무리야.*

닉 무리? 모리가 아니고?

* gaggle(거위 무리)과 gangle(어색하게 걷다)의 철자가 비슷해 닉이 착각한 것.

조지 그래, 무리야.

닉 (참담하게) 아.

조지 아, 그래……. 그래서 여자들이 거리에 몰려서서 자네를 보고 거위 뭉텅이처럼 쉭쉭거린다니까. 이곳 뉴카르타고에서는, 교수 사모님들이 온통, 시내 슈퍼 앞에 몰려서서 거위처럼 쉭쉭거린다고. 그 여편네들 밭을 갈아 줘, 그게 권력으로 가는 길이야!

닉 (여전히 농지거리로) 지당하신 말씀.

조지 그럼, 그럼.

닉 그럼 댁의 부인이 그 거위 모리 중에서 제일 요란한 거위죠……? 친정아버지가 총장님이시니.

조지 내 여편네야말로 자네의 역사적 필연성이지!

닉 아, 예이. (두 손을 비빈다.) 자, 그러면 그 거위를 구석으로 몰아넣고 개처럼 올라타면 되는 건가?

조지 아, 그러면 되지.

닉 (조지를 잠시 쳐다보며, 역겹다는 듯) 저기, 금방은 거의 진심인줄 알았어요.

조지 (구슬리며) 그게 아니지……. 자네가 거의 진심이었기 때문에 더럭 겁이 난 게야.

닉 (믿을 수 없다는 듯 소리 지른다.) **내가!**

조지 (조용히) 그래……. 자네가.

닉 농담도 정말!

조지 (아버지처럼) 농담이면 좋으련만……. 원한다면 충고 한마디 할까…….

닉 충고! 댁이? 맙소사! (소리 내 웃기 시작한다.)

조지　넌 아직 몰라……. 쓸 만한 건 어디서든 챙겨야지…….
들어 봐.

닉　집어치워요!

조지　좋은 충고라고.

닉　이런 젠장……!

조지　여긴 모래 늪이야. 자넨 빨려 들어갈 거야…….

닉　이런 맙소사!

조지　……부지불식간에…… 삼켜질 거야…….
(닉이 조롱하듯 웃는다.)
자넨 원칙적으로 밥맛이고 인간적으로는 개자식이야.
하지만 내가 살아 나갈 비책을 주겠다고. **알아듣겠어?**

닉　(여전히 소리 내 웃으며) 듣고 있어요. 그렇게 소리를 지르는데.

조지　**좋아!**

닉　이봐요, 선생 양반.

조지　(침묵. 이어 조용히) 좋아……. 그래. 귓구멍만 열어 두겠다 이거지? 어차피 시간표대로 역사가 될 테고 만사는 풀려 나갈 테니, 그렇지?

닉　그래요……. 그래. 하던 일이나 신경 쓰시라고요, 좁쌀 영감님……. 난 됐다고.

조지　(침묵하다가) 난…… 난 네게…… 손을 뻗으려고…….

닉　(멸시하듯) ……접근한다고?

조지　그래.

닉　(여전히) ……의사소통하려고?

조지　그래. 바로 그거.

닉　오호…… 이거 감동적인걸……. 제대로…… 감동이라고……. 감동 그 자체야. (갑자기 맹렬하게) 빌어먹을 놈!

조지　(잠시 사이) 뭐?

닉　(협박조로) 말했잖아!

조지　(닉 쪽으로) 자네들은 애써 문명을 건설하고…… 사회를 만들지……. 그 원칙은…… 원칙은…… 사람 마음속의 부자연스러운 무질서로부터 도덕을, 자연스러운 질서로부터는 의사소통의 의미를 이끌어 내려고 애쓰지……. 자네들은 정부와 예술을 만들어 내고, 두 개가 결국은 똑같은 것이라는 것을 깨닫지……. 너희들은 모든 것을 가장 서글픈 상태로 만들어 버려…….
무언가 잃어버릴 수 있다면 서글픈 거야……. 그러다 갑자기 그 모든 음악을 뚫고, 사람들이 짓고 시도한 모든 이성적인 소리들을 뚫고 모든 것을 파괴하는 신의 분노*가 울리는 거야. 그게 뭐냐고? 분노의 뿔 나팔 소리가 어떻게 나냐고? 야 이 개자식아. 이런 세월 끝에 심판이 있는 거지……. 개자식아.

닉　(잠시 사이…… 박수를 치며) 하, 하! 브라보! 하, 하! (계속 소리 내 웃는다.)

(마사가 허니를 이끌고 다시 들어온다. 허니는 핏기 없지만 대담한 미소를 짓고 있다.)

* Dies Irae. 최후의 심판에 관한 라틴 성가의 첫 구절.

허니　(당당하게) 감사해요……. 감사해요.

마사　자, 약간 흔들거리긴 하지만, 멀쩡하게 두 발로 서 있어요.

조지　훌륭해.

닉　뭐요? 아…… 아! 오, 여보…… 괜찮아?

허니　약간, 여보…… 앉고 싶어요.

닉　그래……. 이리로…… 내 옆에 앉아.

허니　고마워요, 여보.

조지　(이를 물고) 감동적이야…… 감동적.

마사　(조지에게) 자? 이제 사과할 거야?

조지　(곁눈질) 뭘, 여보?

마사　이 숙녀를 토하게 한 것 말이지 뭐겠어?

조지　내가 토하게 한 것 아닌데.

마사　분명히 당신이 그랬는데 무슨 소리!

조지　아니라니까!

허니　(사면하듯) 이제 됐어……. 이제.

마사　(조지에게) 그럼 누가 저기 있는 예쁜이를 조져 버렸다고 생각해? 남편이 자기 와이프를 토하게 했겠어?

조지　(거들듯이) 자기는 나를 토하게 하잖아.

마사　**그건 다르지!**

허니　이제 됐어. 나…… 나는 곧잘 토하고…… 내 말은, 종종, 혼자서…… 속이 안 좋아질 때가 있어요…… 아무 이유 없이.

조지　그래?

닉　당신은…… 당신은 섬세하잖아, 허니.

허니 (뻐기듯) 난 항상 그래요.

조지 영국의 시계탑도 섬세하지.

닉 (경고 조로) 그만해요!

허니 의사 선생님은 내게 아무 문제도 없대요……. 생리적으로는. 그렇죠?

닉 물론 그렇지.

허니 저기, 결혼하기 직전에, 맹장을…… 앓았는데…… 다들 그게 맹장인 줄 알았는데…… 알고 보니…… 그게…… (짧게 웃고) ……엉터리였지 뭐예요.

(조지와 닉이 눈길을 주고받는다.)

마사 (조지에게) 술 좀 더 가져와.
(조지가 카운터로 간다.)
조지는 누가 봐도 역겨워……. 우리 아이가 어렸을 때 그 아이는 항상…….

조지 그만해, 마사…….

마사 ……그 아이는 항상 토했는데, 조지 때문이었어…….

조지 그만하라고 했어!

마사 너무 상태가 나빠져서 나중엔 조지가 방에 들어오기만 하면 헛구역질을 시작해서…….

조지 ……우리 아들이…… 항상 토한…… 진짜 이유는 (말을 쏟아 낸다.) 당신이 항상 자기를 주물럭거리는 걸 참을 수 없었기 때문이야. 그것뿐이야, 가운을 펄럭이며 아이 방에 쳐들어가 종일 애를 주물럭거리면서 아이에게 술 취한 입김을 비벼 대고 손으로 맨날 아이의…….

마사 **아, 그래?** 그래서 한 달에 두 번씩이나 가출을 했구먼. (손님들에게) 한 달에 두 번! 일 년에 여섯 번!

조지 (손님들에게) 우리 아이가 항상 가출을 한 이유는 여기 이 마누라가 아이를 궁지에 몰아넣었기 때문이야.

마사 (으르렁거린다.) **난 한 번도 그 빌어먹을 애새끼를 궁지에 몰아넣은 적이 없어!**

조지 (마사에게 술을 건넨다.) 아이는 내가 퇴근하면 달려와 "엄마가 항상 내게 덤벼들어요."라고 말했어. 그렇게 말했다고.

마사 뻥쟁이!

조지 (어깨를 으쓱하며) 글쎄, 그랬다고……. 언제나 애한테 덤벼들었지. 정말 민망했어.

닉 그렇게 민망하다면서 왜 그 얘기를 하는 건가요?

허니 (경고 조로) 여보……!

마사 맞아! (닉에게) 고마워, 자기.

조지 (그들 모두에게) 난 전혀 얘기하고 싶지 않았어……. 이 얘기를 전혀 들춰내지 않았으면 좋았을 거야……. 난 얘기하고 싶지 않아.

마사 하고 싶으면서.

조지 둘이 있으면.

마사 둘이 있잖아!

조지 어…… 아니, 여보…… 우리에겐 손님이 있어.

마사 (닉에게 탐욕스러운 눈길을 던지며) 있고말고.

허니 브랜디 좀 마셔도 될까요? 브랜디를 마시고 싶네요.

닉　꼭 그래야겠어?

허니　그럼요……. 그래야겠어요, 여보.

조지　(다시 카운터로 가며) 그렇지! 잔을 채워라!

닉　허니, 당신 더 이상은…….

허니　(새삼 심술스럽게) 그래야 안정될 거 같아, 여보. 나 약간 불안정해.

조지　제길, 반병이나 마셨으니 안정되게 걸을 수 있나……. 말은 똑바로 해야지.

허니　그래요. (마사에게) 난 브랜디가 좋아……. 정말 좋아요.

마사　(약간 산만하게) 잘됐네.

닉　(체념한 듯) 그래, 당신이 그러고 싶다면…….

허니　(아주 성마르게) 내 몸은 내가 알아요, 여보.

닉　(기분을 맞춰 주려고도 하지 않고) 그래……. 그렇겠지.

허니　(조지가 브랜디를 건네자) 아, 좋다! 고마워요. (닉에게) 물론 알죠, 여보.

조지　(생각에 잠긴 듯) 나도 브랜디 마셨었는데.

마사　(은밀하게) 벌진도 마셨었지, 당신.

조지　(날카롭게) 입 다물어, 마사!

마사　(소녀처럼 입에다 손을 대고) 어머나.

닉　(무언가 불현듯 떠올라, 모호하게) 으응?

조지　(얼버무리며) 아냐……. 아무것도.

마사　(마찬가지로 눙치며) 우리 없는 새 남자들끼리 얘기했지? 조지가 당신에게 자기 얘기 다 펼쳐 내놨지? 당신 눈물 흘리게 만들고, 응?

닉　어…… 아닌데…….

조지　아냐, 사실 우리는…… 둘이 춤췄어.

마사　아, 정말? 멋진데!

허니　아, 나도 춤추는 거 좋아.

닉　그런 뜻이 아니야, 허니.

허니　아, 나도 그런 뜻 아니란 거 알아요! 다 큰 남자 둘이서 춤을 추다니…… 맙소사!

마사　아니, 우리 아빠만 아니었으면 자기가 뭐라도 됐을 거라는 얘기를 안 했다고? 자기의 고결한 도덕성 때문에 자기 계발은 생각조차 하지 못했다는 얘기를 안 했어? 진짜?

닉　(진정하며) 아니요…….

마사　빌어먹을 책을 출판하려고 하는데 우리 아빠가 말렸다는 얘기도 안 했다고.

닉　책? 아뇨.

조지　제발, 마사…….

닉　(마사를 부추기며) 책? 무슨 책?

조지　(애원하며) 제발. 그냥 책이야.

마사　(짐짓 믿을 수 없다는 듯) 그냥 책이라고!

조지　제발, 마사!

마사　(실망한 듯) 흠, 그 서글픈 이야기를 전혀 듣지 못한 모양이군. 웬일이야, 조지? 체념한 거야?

조지　(잠잠하게…… 진중하게) 아니, 아니야. 당신과 싸울 무슨 새로운 전술을 찾아내야 한다는 거지, 마사. 게릴라 전술이 어떨까……. 내부 전복……. 글쎄. 뭔가 있어야겠군.

마사 흠, 찾아보셔, 그리고 찾으면 알려 주시고.

조지 (명랑하게) 그럴게, 여보.

허니 우리 춤출래요? 난 춤이 좋아.

닉 허니…….

허니 난 출 거야! 춤추고 싶어.

닉 허니…….

허니 난 출래! 춤추고 싶어!

조지 좋아……! 까짓 거…… 추자고.

허니 (다시 더할 나위 없이 상냥하게) (마사를 향해) 아이 좋아라……. 난 춤이 좋거든요. 댁은요?

마사 (닉을 힐끗 보고) 그래…… 그래, 괜찮은 생각이야.

닉 (정말로 긴장하여) 이런.

조지 이런.

허니 난 바람처럼 춤춘다고요.

마사 (별말 없이) 그래?

조지 (레코드를 고르며) 신문에 마사 사진이 실린 적이 있는데…… 아마 이십오 년쯤 전일 거야…… 일주일간의 댄스 대회인가 뭔가 하는 데서 2등상을 받았던가…… 알통이 울룩불룩해서 자기 파트너를 들어 올리고 있는 모습이었지.

마사 레코드 걸고 입 좀 닫지?

조지 그러죠, 마님. (모두에게) 어떻게 추지? 서로 섞어서?

마사 아니 그럼, 내가 당신과 출 거라고 생각했단 말이야?

조지 (생각해 본다.) 아아니……. 저이가 옆에 있는데 그럴 리가……. 분명하지. 여기 새침데기하고 출 리도 없고.

허니 난 누구와 춰도 좋아요……. 난 혼자서도 출 수 있어.
닉 허니…….
허니 난 바람처럼 춘다니까.
조지 좋아, 젊은이들……. 파트너 골라 작업해 보라고.

(음악이 시작된다……. 베토벤 교향곡 7번 2악장.)

허니 (일어나 혼자 춤춘다.) 디, 디디다다, 다다 디, 다다다디 다…… 근사해……!
닉 허니…….
마사 됐어, 조지……. 그만해!
허니 덤, 디디다다, 다다디, 덤디다다다…… 와아아아……!
마사 그만하라고, 조지!
조지 (안 들린다는 듯) 뭐라고, 마사? 뭐?
닉 허니…….
마사 (조지가 소리를 높이자) **그만해, 조지!**
조지 **뭐?**
마사 (일어나 조지에게 위협적으로 다가든다.) 됐다고, 이 개 같은 새끼…….
조지 (급작스럽게 레코드를 끈다. 조용히) 뭐라고 했어, 여보?
마사 이 개 같은…….
허니 (동작 중에 그대로 멈춘 채) 끊어졌어! 왜 끊었어요?
닉 허니…….
허니 (닉을 향해 날카롭게) 왜 끊었냐고!
조지 이게 어울릴 줄 알았어, 마사.

마사 아, 그랬단 말이지?

허니 내가 좀 재밌으려고 하면 자기는 꼭 그러더라.

닉 (예의상) 미안해, 여보.

허니 제발…… 날 좀 그냥 내버려 둬!

조지 그럼, 당신이 골라 보지 그래, 마사? (축음기에서 물러나 마사에게 맡긴다.) 마사가 할 거야……. 이 숙녀분께서 밴드를 이끄실 거라고.

허니 난 춤추고 싶은데 당신은 그게 싫지.

닉 나도 당신 춤추는 거 좋아.

허니 제발…… 좀 내버려 둬. (앉아서…… 마신다.)

조지 마사가 아는 음악을 틀어 줄 거야……. 「봄의 제전」 같은 거. (허니 옆에 가서…… 앉는다.) 이봐, 예쁜이.

허니 (킬킬거리며 소리 지른다.) 우아!

조지 (조롱하듯 웃으며) 하, 하, 하, 하, 하. 골라 봐, 마사……. 당신 맘대로 해 봐!

마사 (기계에 집중하는 중) 말이라고!

조지 (허니에게) 멋진 젖가슴, 나랑 춤출까?

닉 방금 내 마누라한테 뭐라 그랬어?

조지 (조롱하듯) 어이쿠!

허니 (심술궂게) 싫어! 내가 독창적으로 해석한 춤을 못 추면 난 아무하고도 안 춰. 여기 이렇게 앉아서……. (어깨를 으쓱하고 마신다.)

마사 (레코드를 건다, 느린 재즈풍의 대중가요.) 좋아. 자, 가자고. (닉을 붙잡는다.)

닉 응? 아…… 네.

마사　시작. (바짝 붙어서, 천천히, 춤춘다.)

허니　(입술을 내밀고) 우리는 여기 앉아 구경이나 합시다.

조지　그래, 좋아!

마사　(닉에게) 이봐, 자기 힘세지, 응?

닉　으응.

마사　좋아.

닉　으응.

허니　둘이 예전에 춰 본 것처럼 잘 추네.

조지　익숙한 춤이야…… 둘 다 알고 있는…….

마사　부끄러워하지 마.

닉　그게…… 아니라…….

조지　(허니에게) 이건 아주 오래된 의식이야, 예쁜 젖가슴…….
더할 수 없이 오래된.

허니　무슨…… 말씀을 하시는 건지.

(닉과 마사는 이제 서로 떨어져, 조지와 허니가 앉아 있는 양 옆으로 와서 각각 춤춘다. 그들은 서로 마주 보고, 발은 거의 움직이지 않지만 몸이 함께 움직인다. ……그들은 마치 서로를 짓누르고 있는 것 같다.)

마사　당신 움직임이 좋아.

닉　당신 움직임도 좋아요.

조지　(허니에게) 둘이 서로 움직이는 걸 좋아해.

허니　(완전히 알아듣지 못하고) 멋져요.

마사　(닉에게) 조지가 속내를 얘기하지 않았다니 놀랍군.

조지 (허니에게) 얘네들 귀엽지?
닉 얘기 않던데요.
마사 놀라워.

(마사의 말이 음악과 어느 정도 박자가 맞을 수도 있다.)

닉 그래요?
마사 으응……. 기회가 생기면…… 대체로 얘기한다니까.
닉 뭐, 알 수 없죠.
마사 진짜 슬픈 얘기거든.
조지 당신 솜씨는 형편없어, 마사.
닉 그래요?
마사 눈물 날걸.
조지 끔찍한 솜씨야.
닉 그런가요?
조지 마사를 부추기지 마.
마사 날 좀 부추겨 봐.
닉 계속해 봐요.

(서로를 향해 가까이 갔다가 다시 돌아오기도 한다.)

조지 경고했어……. 마사를 부추기지 마.
마사 조지가 경고하는데…… 날 부추기지 말래.
닉 들었어요……. 더 얘기해 봐요.
마사 (일부러 운을 맞춰 얘기한다.) 자, 조지 어린이는 야망도

커라.

수상쩍은 과거일랑…….

조지 (조용히 경고 조로) 마사…….

마사 조지 어린이 과거지사 소설로 썼네…….

최초이자 최후로 소설로 썼네…….

이야! 운이 맞네! 딱딱 맞는다고!

조지 경고했어, 마사.

닉 그러게……. 운이 맞네요. 계속해 봐요, 계속.

마사 하지만 우리 아빠 조지 어린이 소설 보고…….

조지 당신 매를 벌고 있군……. 알고 있지, 마사.

마사 어디 해 보시지!! ……아빠는 소설에 충격을 먹었지.

닉 그랬어요?

마사 그래……. 그랬지……. 악동 시절에 관한 소설이라니…….

조지 (일어나며) 더 이상은 못 참아!

닉 (조지에게, 대수롭지 않게) 에이, 그만해요.

마사 ……하, 하!

어…… 엄마 아버지를…… 죽여 버린

악동시절.

조지 **그만해, 마사!**

마사 우리 아빠 말하길…… 이봐, 자네가 그런 걸 출판했다가는…….

조지 (축음기로 달려가서…… 레코드를 낚아채며) 됐어! 춤은 이제 그만. 됐다고. 계속해 봐!

닉 무슨 짓을 하는 거야, 엉?

허니 (신이 나서) 폭력이다, 폭력이야!

마사 (요란하게 선언) 우리 아빠 말하기를…… 이봐, 자네, 내가 이따위 쓰레기를 출판하게 할 줄 아나, 응? 절대 안 되지……. 여기서 선생질을 하는 동안에는 절대 안 돼……. 그따위 허섭스레기를 출판하기만 하면…… 그 자리에서 쫓겨날 줄 알아!

조지 **중지! 중지!**

마사 하, 하, 하! **하!**

닉 (소리 내 웃으며) 중……지!

허니 아, 폭력이야…… 폭력!

마사 생각하는 것하고는! 뉴카르타고 같은 곳에서도 이렇게 체면 차리는 보수적인 학교의 선생이 그런 책을 출판하다니? 여기 일을 계속하고 싶다면, 자네, 이 애송이…… 그 원고를 집어치우라고…….

조지 날 비웃음거리로 만들지 마!

닉 제발이지 비웃음거리로 만들지 말라는데요! (소리 내 웃는다.)

(허니는 무슨 이유인지도 잘 모른 채 웃음에 합류한다.)

조지 그러지 말라고!
(세 명 모두 비웃는다.)
(분개해서) **게임은 끝났어!**

마사 (서둘러) 생각 좀 해 봐! 엄마 아버지를 죽이고서 그게 전부 사고라는 아이 이야기라니!

허니 (즐거움에 어쩔 줄 모른다.) 사고래!

닉　(뭔가 관련된 것을 생각해 내고) 아니……. 잠깐만…….

마사　(본래 목소리로) 결정타가 뭔지 알아? 위대한 조지 대왕이 우리 아빠에게 뭐라고 했는지 알아?

조지　**안 돼! 안 돼! 안 돼! 안 돼!**

닉　저기 잠깐만…….

마사　조지 대왕 왈…… 하지만 아빠…… 이게 아니고…… 하, 하, 하, 하…… 아니, 장인어른, 그건 전혀 소설이 아닌데요……. (다른 목소리로) 소설이 아니라고? (조지의 목소리를 흉내 내며) 네, 장인어른…… 그건 전혀 소설이 아닌데요…….

조지　(마사에게 다가들며) 그런 말을 하다니!

닉　(위험을 감지하고) 이봐요.

마사　왜 못 해. 비켜, 이 새끼야!
(뒤로 약간 물러난다. ……다시 조지 목소리로)
네, 장인어른, 그건 전혀 소설이 아닌데요……. 진짜입니다……. 진짜 일어난 일인데요……. **제 얘기라고요!**

조지　(덤벼들며) **죽여 버리겠어!**

(마사의 목을 움켜쥔다. 싸운다.)

닉　**이봐!** (끼어든다.)

허니　(열광하여) **폭력이다! 폭력이야!**

(조지, 마사, 닉이 함께 엉켜 싸우고 소리 지르고…… 등등.)

마사　**진짜로! 내 애기! 내 애기!**
조지　**악마 같은 년!**
닉　**그만해! 그만!**
허니　**폭력이다! 폭력이야!**

(다른 셋은 모두 엉켜 싸운다. 조지의 손은 마사의 목을 움켜쥐고 있다. 닉이 그를 붙잡아 마사로부터 떼 내 바닥에 내팽개친다. 조지는 바닥에 쓰러지고 닉이 그 위를 덮친다. 마사는 한쪽에서 목에 손을 대고 있다.)

닉　그만하라고!
허니　(실망한 목소리) 아…… 아…… 아…….

(조지가 의자로 기다시피 가서 몸을 기댄다. 다치기도 했지만 신체적인 부상보다 치욕감이 더 깊다.)

조지　(다들 그를 바라보고…… 잠시 사이……) 됐어……. 됐다고……. 이제 조용하군……. 우리 모두 이제…… 매우 조용하겠지.
마사　(조용히, 머리를 설레설레 흔들며) 살인자. 살……인……자.
닉　(마사에게 부드럽게) 됐어요. 이제…… 그만하세요.

(잠시 침묵. 나가떨어진 프로 레슬링 선수가 일어나 몸을 풀듯 다들 겸연쩍게 돌아다닌다.)

조지　(겉으로 보기엔 다시 침착해졌으나 팽팽하게 신경이 곤두서 있다.) 좋아! 괜찮은 한판이었어. 이제 뭘 하지, 엉?
(마사와 닉이 불안하게 웃는다.)
에이, 이봐…… 뭔가 딴 거 생각해 봐. 주인장 욕보이기 게임은 끝났어……. 그건 다 했어……. 이제 뭘 하지?

닉　어…… 저기…….

조지　**어 저기!** (콧소리로) 아이…… 저어기. (잽싸게) 이봐, 빨리! 우리 같은 대졸 인텔리들이 다른 게임도 해야지……. 벌써…… 말문이 막히는 거야, 엉?

닉　어쩌면…….

조지　어디 보자……. 뭐 다른 걸 할 수 있나? 다른 게임도 있지. 그러면…… 그러면…… 안주인 올라타기는 어때? 엉? 어떠냐고? 안주인 올라타기? (닉에게) 해 볼래? 안주인 올라타기 한번 해 봐? **엉? 엉?**

닉　(약간 질려서) 진정하시죠.

(마사가 낮게 낄낄거린다.)

조지　아니면 나중에 할까……. 개같이 올라타는 건?

허니　(흥분하여 모두에게 건배하며) '안주인 올라타기!'

닉　(허니에게 날카롭게) 입 좀 닫아……. 응?

(허니는 잔을 공중에 든 채 입을 닫아 버린다.)

조지　지금 하기는 싫다 이거지, 엉? 아껴 놨다가 나중에?

자, 그럼 지금은 뭘 할까? 한 판 더 해야지.

마사 (조용히) 익사하는 남자의 초상.

조지 (단언 조로, 그러나 딱히 누구를 향하지 않고) 난 물에 빠지지 않았어.

허니 (눈물을 글썽거리며 닉에게 화낸다.) 내게 입 닥치라고 하다니!

닉 (조바심을 내며) 미안해.

허니 (눈물 바람으로) 미안하지도 않으면서.

닉 (더 조바심이 나서 허니에게) 미안.

조지 (손뼉을 딱 치며 큰 소리로) 좋은 생각이 났어! 어떤 놀이를 할지 얘기해 주지. 주인장 욕보이기는 끝났고…… 이번 판은, 어쨌든…… 끝났고…… 안주인 올라타기는, 아직 안 할 거고…… 아직은 아니고…… 좋은 생각이 났어……. 손님 잡기 놀이를 한 판 하자. 어때? 손님 잡기 놀이?

마사 (돌아서서, 역겨워하며) 제기랄, 조지.

조지 책 얘기를 한 주제에! 아이 얘기도 한 주제에!

허니 난 이런 게임 싫어.

닉 맞아……. 게임 엔간히 했어, 이제…….

조지 오, 아니…… 오오, 아니지…… 안 그랬어. 하나밖에 안 했는걸……. 이제 다른 걸 해야지. 하나만 하고 그만둘 수는 없지.

닉 내 생각엔…….

조지 (위엄 있게) **정숙!** (모두 따른다.) 자, 손님 잡기 놀이를 어떻게 할까?

마사 제발이지, 조지…….

조지 조용히 하라고!

(마사, 어깨를 으쓱한다.)

생각해 보자…… 생각. (궁리하다가) 좋았어! 자…… 마사가…… 부적절하게도…… 사실 정말 부적절한 것은 아니야, 왜냐하면 마사는 사실 순진하거든……. 어쨌거나 마사가 내 첫 번째 소설에 대해 모두 다 이야기했지. 진짜일까 거짓일까? 엉? 즉, 정말 그런 일이 있었겠느냐 아니면 거짓이겠느냐? **하!** 그렇지만 마사가 이미 다 이야기해 버렸지……. 내 첫 번째 소설…… 내…… 비망록……. 그러지 않았으면 좋으련만, 젠장. 이미 쏟아진 물이야. 쏟아진 피야. **하지만!** 마사가 말하지 않은 게 있지, 내 두 번째 소설에 대해서는 이야기하지 않았겠다.

(마사가 의아한 눈길로 쳐다본다.)

그래, 그건 몰랐지, 마사? 내 두 번째 소설은 진짜일까 거짓일까, 참일까 거짓일까?

마사 (진지하게) 몰라.

조지 모르지.

(조용히 시작하지만 점점 목소리가 냉혹해지고 커진다.)

자, 이건 알레고리야, 아마 그럴걸, 하지만 직설적이고 친근한 이야기일 수도 있고……. 중서부 출신의 점잖은 젊은 부부 얘기야. 목가풍의 얘기지. **이제**, 이 점잖은 젊은 부부 한 쌍이 중서부에서 왔는데, 남자는 금발에 서른 살쯤 됐고 과학자에 선생에…… 과학자고……

그 깔치는 현모양처 스타일의 자그마한 여자인데 노상 브랜디를 꿀꺽꿀꺽…….

닉 이봐요…….

조지 ……얘들은 어릴 때부터 알아 온 사이거든, 화장대 밑에 숨어서 서로를 더듬곤 했지, 그리고…….

닉 **이거 보라고!**

조지 이건 내 판이야! 너희들은 너희들 판을 했어…… 너희들 말이야. 이건 내 게임이야!

허니 (몽롱하게) 난 그 얘기 듣고 싶어. 난 이야기가 좋아.

마사 조지, 제발이지…….

조지 **게다가!** 깔치의 아버지는 성직자거든. 예수와 여신도들을 밑천으로 술집을 차렸는데 그중 신심 깊은 여자들은 해 먹었다지……. 그냥…… 해 먹었대…….

허니 (어리둥절해하며) 익숙한 얘기인데…….

닉 (목소리가 떨린다.) 장난치지 마!

조지 ……결국 깔치 애비 노인네가 죽었는데, 배를 갈라 보니 온갖 종류의 돈이 쏟아져 나왔겠다……. 예수 돈, 마리아 돈…… **부정한 돈!**

허니 (몽롱하고 어리둥절해서) 이 얘기 전에 들었어.

닉 (조용하지만 강한 목소리로…… 정신이 들게 하려) 허니…….

조지 하지만 그건 주제가 아냐, 책의 앞부분이지. 어쨌든, 금발 사내와 그 깔치 커플이 서부 촌에서 왔겠다. (킬킬댄다.)

마사 퍽도 재미있다, 조지…….

조지 ……물론. …… 그래서 여기 누보카르타고 같은 동네에

정착을 했겠다…….

닉 (협박 조로) 이봐요, 그렇게 계속하면…….

조지 어쩔 건데!

닉 (불확실하게) 안 돼, 그러지…… 그러지 말라고요.

허니 난 익숙한 얘기가 좋아……. 그런 게 최고야.

조지 그렇고말고. 하지만 금발 사내는, 사실은, 변장을 하고 있었던 거야, 선생처럼 차리고 있었지만 비행기 표에는 이렇게 쓰여 있었지. 역. 필. 역필! 역사적 필연성.

닉 더 이상 계속할 필요는 없으시겠지, 자…….

허니 (듣고 있는 내용을 이해하려고 애쓰며) 계속해 봐요.

조지 계속할 거야. 그 젊은이는 두둑한 가방을 가지고 있는데, 가방 일부는 깔치 모양이었고…….

닉 더 이상 들을 필요가 없어!

허니 왜 필요가 없어?

조지 자네 부인 말이 맞아. 금발 젊은이의 가방은 수수께끼였지……. 자기는 캔자스 주 수영 챔피언인가 뭔가 그런데…… 깔치는 영…… 그런데 도저히 이해가 안 될 정도로 감싸고 든단 말이지……. 완전 맹한데 말이야…….

닉 너무하는군요…….

조지 아마도. 그렇게, 말했듯이, 깔치는, 그녀는 무절제하게 브랜디를 마셔 대고 나머지 시간은 토하는 걸로 지내지…….

허니 (집중하며) 나 그 사람들 알아…….

조지 그렇군! ……하지만 깔치는 돈주머니가 두둑했지……. 불신자들의 황금 치아에서 뜯어낸 신성한 돈, 원대한 꿈을 실용주의적으로 재해석한 결과물이야……. 게다가 그 여자는…….

허니 (공포에 질리며) 나 이 얘기 싫어…….

닉 (뜻밖에 간청하며) 제발…… 제발 그만두세요.

마사 그만하는 게 좋겠어, 조지…….

조지 ……게다가 그 여자는……. **그만하라고**? 하, 하.

닉 제발…… 제발 그만.

조지 빌어 봐, 젊은이.

마사 조지…….

조지 …… 그리고…… 아, 어떻게 결혼하게 되었나에 대한 회상도 있어야 되겠군.

닉 **안 돼!**

조지 (의기양양하여) **돼!**

닉 (거의 흐느낄 지경으로) 왜요?

조지 어떻게 결혼하게 되었나. 결혼하게 된 연유는…… 깔치가 어느 날 배가 부풀어 오른 거야. 금발네 집에 가서 부푼 배를 내밀며 말했지……. 날 좀 봐요.

허니 (창백하다. ……일어서며) 나…… 이 얘기…… 싫어.

닉 (조지에게) 그만하라고!

조지 날 좀 봐요……. 나 배가 불러 와. 맙소사, 하고 금발이 말했어.

허니 (공허하게) …… 그래서 결혼을 했지요…….

조지 …… 그래서 결혼을 했어…….

허니 …… 그랬는데…….

조지 …… 그랬는데…….

허니 (신경질적으로) **어쨌는데?** ······그래서 **어쨌는데?**

닉 **안 돼!** 안 돼!

조지 (아기에게 말하듯이) ······그랬는데 불렀던 배가 꺼져 버렸어······ 마술처럼······ 푹!

닉 (토할 지경으로) 이런 젠장······.

허니 ······불렀던 배가 꺼져 버렸어······.

조지 (부드럽게) ······푹······.

닉 허니······ 일부러 그런 게 아니야······. 그러려던 게 아니었어······.

허니 너······ 네가 말했구나······.

닉 그러려던 게 아니야······ 허니······.

허니 (엄청난 공포에 질려서) 네가······ 말했구나! 말했어! **오오오오!** 오, 안 돼, 안 돼, 안 돼, 안 돼! 그래서는 안 되지······ 오, 안 돼애!

닉 허니, 그런 게 아니라······.

허니 (배를 움켜쥐며) 오오오오······ 안 돼애.

닉 허니······ 여보······ 미안해······. 그러려던 게 아냐······.

조지 (불쑥, 경멸하는 투로) 그렇게 손님 잡기 놀이를 하는 거야.

허니 나······ 나······ 토할 거 같아······.

조지 당연하지!

닉 허니······.

허니 (신경질적으로) 가만 내버려 둬······. 나······ 토할 거······ 같아.

(바깥으로 뛰어나간다.)

마사 (허니가 나가는 것을 보면서 고개를 절레절레 흔들며) 아이고 맙소사.

조지 (어깨를 으쓱하며) 역사의 전형이지.

닉 (조용히 고개를 저으며) 그러는 거 아니죠……. 그러는 게 아니라고.

조지 (차분하게) 난 위선이 싫어.

닉 잔인하고…… 사악해…….

조지 ……허니는 극복할 거야…….

닉 상처를 주다니……!

조지 ……허니는 괜찮아질 거야…….

닉 **상처를 주다니! 나에게!**

조지 (놀라움에) 자네에게!

닉 **나에게!**

조지 자네에게!

닉 **그래!**

조지 아, 멋져……. 멋져. 맹세컨대, 보물을 찾으려면 지도가 있어야 된다니까. (아주 침착하게) 이봐, 연합 전선을 새로 구축해 봐, 젊은이. 남은 파편을 있는 대로 주워 모아…… 최선의 결과를 만들어 내야지……. 다 긁어모아 일어서야지.

마사 (조용히 닉에게) 허니에게 가 봐.

조지 그래……. 파편을 긁어모아 새로운 전략을 짜야지.

닉 (현관 복도로 나가면서 조지에게) 후회하게 될 거요.

조지 그렇겠지. 난 모든 걸 후회하거든.

닉 내 말은, 내가 당신을 후회하게 만들어 주겠다는 거야.

조지 (부드럽게) 그래야지. 창피를 톡톡히 겪게 해 줄 거지, 응?

닉 당신이 정해 놓은 대로 게임을 할 거야……. 계급장 떼고…… 당신이 말한 그대로가 되어 주지.

조지 벌써 말한 그대로야……. 자기만 모르고 있을 뿐이지.

닉 (흔들린다.) 아니…… 아니야. 그렇지는 않아. 하지만 그렇게 되어 드리지, 선생……. 시작하지 말걸 하고 후회하도록 새로운 걸 불러내 보여 주지.

조지 가서 난장판이나 치워.

닉 (조용히…… 강렬하게) 기다려 보시라고, 선생.

(퇴장. 침묵. 조지는 마사에게 미소 짓는다.)

마사 잘했어, 조지.

조지 고마워, 마사.

마사 아주 좋았어.

조지 좋았다니 다행이야.

마사 그야말로…… 멋지게 해치웠다고……. 정말 제대로야.

조지 으응.

마사 간만에…… 최고의 생기를 보여 주는군.

조지 당신이 내 속에서 최고를 끌어낸 거야, 여보.

마사 그래…… 잔챙이 사냥꾼!

조지 **잔챙이라!**

마사 넌 정말 개자식이야.

조지 내가? 내가?

마사 그래…… 너.

조지 여보, 저기 저 운동선수가 잔챙이라면, 확실히 당신 취향이 변한 거야. 뭘 바라는 건데…… 거인?

마사 역겨워.

조지 자기는 뭘 하든 괜찮고…… 자기 맘대로 규칙을 만들고…… 미친 아랍인처럼 눈에 보이는 건 죄다 칼로 베어 버리고 세상의 절반이라도 다 거꾸러뜨리지. 하지만 누구 딴 사람이 그렇게 하면…… 안 된다, 이거지!

마사 이런 개 같은…….

조지 (조롱하며) 무슨 소리야, 자기를 위해서 한 일인데. 자기가 좋아할 줄 알았지……. 당신 취향이잖아……. 피철철 살점 듬뿍. 왜, 난 자기가 완전히 흥분해서…… 헐떡거리며 출렁거리며, 내게 달려들줄 알았는데.

마사 완전히 조져 놨어, 조지.

조지 (내뱉는다.) 아, 제발 마사!

마사 진짜로…… 완전히 조졌어.

조지 (더 이상 화를 참지 못한다.) 너는 거기 의자에 앉아 술을 질질 흘리고 나를 모욕하고 모조리 까발려 놔도 되고…… **밤새**…… 그건 괜찮고…… 아무 상관없고…….

마사 **넌 그걸 참을 수 있잖아.**

조지 **난 못 참아!**

마사 **넌 참을 수 있어! 그래서 나랑 결혼한 거고!**

(침묵.)

조지 (조용히) 정말 역겨운 거짓말이군.

마사 **아직도, 몰랐단 말이야?**

조지 (머리를 저으며) 오…… 마사.

마사 때리기도 지치는군.

조지 (믿기지 않는다는 듯 노려본다.) 미쳤군.

마사 이십삼 년간이야!

조지 돌았어……. 마사, 자기 돌았어.

마사 **내가 원한 건 이게 아냐!**

조지 적어도 자기…… 정신은 차리고 있는 줄 알았지. 몰랐네. 난…… 몰랐어.

마사 (화가 끓어오르며) 난 제정신이야.

조지 (마사가 벌레라도 되는 듯이) 아냐…… 아냐……. 넌 제정신이 아냐.

마사 (일어나 소리 지른다.) **누가 제정신이 아닌지 보여 주지!**

조지 그래, 마사……. 막가는군.

마사 (다시 소리 지른다.) **누가 제정신이 아닌지 보여 준다고. 보여 줄 거야.**

조지 (마사를 흔든다.) 그만해! (다시 의자에 끌어다 앉힌다.) 이제 그만하라고!

마사 (차분해진다.) 누가 제정신이 아닌지 보여 주겠다고. (더 차분하게) 와, 오늘 날 한번 제대로 잡았지, 응? 당신과 완전히 끝나기 전에 먼저 끝장을 내 주지…….

조지 ……너하고 저 씨름꾼하고…… 둘이서 나를 끝장내시겠다고?

마사 ……내가 당신을 완전히 끝장낼 즈음이면, 당신은 그때 자동차 안에서 죽는 게 나았을걸 하고 바라게 될 거야. 개자식.

조지 (검지를 세워 강조하듯) 그리고 넌 우리 아들 얘기를 하지 않았더라면 좋았을걸 하고 바라게 될 거야!

마사 (멸시하며) 이…….

조지 자, 경고했다고.

마사 무서운걸.

조지 막가지 말라고 경고했어.

마사 난 이제 시작일 뿐이야.

조지 (차분하게, 사실적으로) 난 벌써 맛이 갔어……. 술 때문이 아니야, 그 이유도 일부 있긴 하지만, 여러 해 동안 서서히 뇌세포가 죽어 가는 거지, 난 벌써 맛이 가서 사실 우리끼리만 있을 때도 당신을 받아들일 수 있어. 난 당신 말을 듣지 않지……. 아니, 듣고 있을 때에도 모든 것을 걸러내 버리고 반사해 버리니까, 실제로는 듣는 게 아니야, 그래야만 감당할 수가 있어. 하지만 당신은 새로운 전략을 취했지, 마사, 최근 몇 세기 사이에, 우리가 이 집에서 같이 살아온 그 긴 세월 동안, 그건 너무 과해…… 너무 과하다고. 난 당신이 더러운 속옷을 밖에다 널어놓는 거…… 글쎄, 전혀 상관하지 않아……. 상관은 하지만 그 정도는 타협했다고……. 하지만 당신은 온갖 것들을 상상 속으로 옮겨 놓고 제멋대로 비뚤어진 변주곡을 연주하기로 했군. 그 결과…….

마사 똥 같은 소리!

조지 그래…… 그랬어.

마사 똥이다!

조지 자, 원하는 대로 실컷 해 보시지. 그래, 그러다가…….

마사 자기가 말하는 문장이 어떤지 알고 있어, 조지? 말하는 방식을 유심히 들어 봤냐고? 넌 야바위꾼이야…… 횡설수설이라고……. 그게 너야. 마치 거지 같은 논문 쓰듯이 말한다니까.

조지 사실, 난 자기가 걱정되거든. 자기 정신 상태 말이야.

마사 내 정신 상태 따위는 걱정 놓으시지, 바깥양반!

조지 당신을 입원시킬까 생각 중이야.

마사 날 **뭐**?

조지 (조용하게…… 분명하게) 자기를 입원시킬까 생각 중이라고.

마사 (긴 웃음을 터뜨리고) 오, 자기, 진짜 지랄 같은 소리만 하네!

조지 확실하게 자기를 잡는 방법을 알아내고야 말겠어.

마사 벌써 날 확실히 잡았어, 조지……. 당신은 다른 거 뭐 하지 않아도 돼. 이십삼 년간이나 겪었는데 그걸로 충분해.

조지 그럼, 당신 조용히 사라져 줄 거야?

마사 그래서 어떻게 됐는지 알아, 조지? 정말 어떻게 됐는지 알고 싶어? (손가락으로 딱 소리를 낸다.) 딱 하고 분질러져 버렸어. 내가 아니라…… 그것. 전체적인 합의. 자기는 평생…… 그렇게 갈 테고…… 모든 것이…… 조정 가능하지. 자기는 온갖 종류의 변명을 들이대지…… 거 왜…… 인생이 이런 것이라는 둥…… 웃기지 말라 그래……. 어쩌면 내일 아빠가 돌아가실지 몰라……. 어쩌면 내일 자기가 죽을지도 몰라……. 온갖 변명거리들. 하지만 언젠가 어느 날 밤 무슨 일이 생겨…… **딱!** 부러진 거야. 더 이상 아무 상관도 없어. 난 노력했어, 자기야…… 정말로, 노력해 봤어.

조지 그만해 둬, 마사.

마사 난 노력했어……. 난 정말로 노력했다고.

조지 (약간의 경외감) 넌 괴물이야…… 괴물이라고.

마사 난 요란하고, 천박하고, 이 집의 가장이지. 누군가는 가장 노릇을 해야지 않겠어. 하지만 난 괴물은 아냐. 난 아냐.

조지 넌 응석받이에, 자기 생각만 하고, 고집쟁이에, 더러운 생각만 하고, 술에 절었어…….

마사 **딱!** 분질러졌다고. 이봐, 난 더 이상 자기에게 다가가기 위해 애쓰지 않아……. 난 애쓰지 않는다고. 예전에는 잠깐, 아주 잠깐 동안 내가 당신과 통할 수 있을 것 같은 때가 있었어. 이 모든 허섭스레기들을 헤치고 도달할 수 있을 것 같은. 하지만 이젠 과거지사야, 난 이제 애쓰지 않아.

조지 한 달에 한 번, 마사! 난 익숙해졌어……. 한 달에 한 번 우린 오해했지, 마사, 조개껍데기 속의 상냥한 여자, 친절한 손길로 꽃을 피울 수 있을 것 같은 어리고 착한 아가씨. 난 기억할 수도 없으리만치 여러 번 믿었어. 내가 그렇게 머저리라고 인정하기 싫었거든. 난 당신을 믿지 않아……. 당신을 안 믿어. 더 이상은…… 함께 할 수 있는 순간이…… 없어.

마사 (재무장하여) 으음, 자기 말이 맞는지도 몰라. 투명 인간과 같이할 순 없지, 근데 자기가 투명 인간이란 말이지! **딱 하고 분질러졌어!** 오늘 밤 아빠 파티에서 딱 하고 분질러졌어. (대놓고 멸시감을 드러내지만 그 아래에는 분노와 상실감이 자리하고 있다.) 아빠 파티에서 난 자리에 앉아 당신을 보고 있었어……. 거기 앉아 있는 당신을 보고 당신 주변의 젊은이들을 봤어. 어딘가 나아갈 미래가 있는 젊은이들을 보았어. 난 거기 앉아 당신을 바라보았는데 당신은 거기 없었어! 딱! 마침내 딱 하고 분질러져 버렸지! 난 으르렁거리며 내뱉을 거야, 누가 뭐라 하든 전혀 개의치 않고, 듣도 보도 못한 엄청난 폭발을 보여 줄 거야.

조지 (아주 날 선 목소리로) 해 봐, 당신이 만든 판에서 멋지게 꺾어 주지.

마사 (희망에 차서) 협박하는 거야, 조지? 응?

조지 협박하는 거야, 마사.

마사 (침 뱉는 척) 그래, 어디 한번 해 보자고.

조지 조심해, 마사……. 갈기갈기 찢어 주겠어.

마사 넌 사내자식도 아냐……. 뱃도 없는 놈이야.

조지 전면전을 하시겠다?

마사 전면전.

(침묵. 둘 다 마음이 놓인 듯…… 고무된 듯 보인다. 닉 다시 등장.)

닉 (손을 털면서) 이제…… 쉬고…… 있어요.

조지 (닉의 차분하고 무심한 태도에 자기도 모르게 매료되어) 그래?

마사 그래? 괜찮아?

닉 괜찮을 거예요…… 이제. 정말…… 죄송합니다…….

마사 됐어.

조지 여기선 늘 일어나는 일이야.

닉 괜찮아질 거예요.

마사 누웠어? 위층에다 눕혔어? 침대에?

닉 (한잔 따르며) 아, 아니에요. 어…… 한잔해도 되죠? 아내는…… 욕실에 있어요……. 욕실 바닥에요……. 거기 누워 있어요.

조지 (생각해 본다.) 어…… 불편할 텐데.

닉 그곳을 좋아해요. 거기가…… 시원하다네요.

조지 하지만, 그래도…….

마사 (조지를 제치고 나서며) 욕실 바닥에 눕고 싶어 하면 그렇게 하도록 해. (닉에게 진지하게) 목욕통 속에 들어가면 더 편하지 않을까?

닉 (또한 진지하게) 아니, 바닥이 좋대요……. 매트를 걷고 타일 바닥 위에 누워 있어요. 아내는…… 바닥에 잘 누워 있어요……. 자주 그래요.

마사 (사이) 아.

닉 아내는…… 두통 같은 것을 워낙 자주 겪어서, 바닥에 항상 누워 있어요. (조지에게) 얼음…… 있나요?

조지　뭐?

닉　얼음. 얼음 있나요?

조지　(그 말이 낯선 듯) 얼음?

닉　얼음. 예.

마사　얼음.

조지　(갑자기 이해가 된 것처럼) 얼음!

마사　장하다.

조지　(미동도 않고) 아, 그래……. 좀 가져다줄게.

마사　그래, 갔다 와. (닉에게…… 들이대며) 게다가, 우리끼리 좀 같이 있고 싶거든.

조지　(얼음 바구니를 가지러 가며) 놀랄 일도 아냐, 마사……. 놀랍지도 않아.

마사　(마치 모욕을 당한 것처럼) 아, 그래, 하?

조지　전혀, 마사.

마사　(사납게) **그래?**

조지　(그 또한) **그래!** (다시 조용하게) 뭐든 해 보라고, 마사.

(얼음 바구니를 집어 든다.)

닉　(무마하려고) 사실, 아내는 굉장히, 약하고, 또…….

조지　히프가 빈약해.

닉　(기억해 내며) 예…… 맞아요.

조지　(현관으로 가는 복도에서…… 무뚝뚝하게) 그래서 애가 없는 거야?

(퇴장한다.)

닉 (사라지는 조지에게 대고) 글쎄요, 그런 건지 뭔지……. (꼬리를 흐린다.) ……그게 도대체 무슨 상관이나 있는 건지.

마사 그래, 그게 상관이 있은들, 어쩌겠냐고? 엉?

닉 네?

(마사가 키스를 날린다.)

닉 (조지의 언급에 여전히 신경이 쓰인다.) 내가…… 뭐요? ……미안합니다.

마사 내 말은……. (다시 키스를 날린다.)

닉 (불편해하며) 아…… 예.

마사 이봐…… 담배 한 대만 줘…… 자기야. (닉이 호주머니를 더듬는다.) 자기 착하네. (닉이 담배 한 대를 건네준다.) 어…… 고마워.

(닉이 담뱃불을 붙여 준다. 그동안 마사가 닉의 다리 사이, 무릎과 사타구니 사이쯤 손을 찔러 넣는다. 손으로 다리를 감는다.)

으으으음.

(닉은 갈피를 못 잡은 듯 보이지만 움직이지는 않는다. 마사가 미소 짓고 손을 약간 움직인다.)

자, 자기 착하니까, 내게 키스해 줘. 얼른.

닉 (안절부절못하며) 저기…… 이러면 안 되는데…….

마사 얼른, 자기…… 그냥 친구처럼 하는 키스야.

닉 (여전히 갈피를 못 잡고) 저기…….

마사 ……뭔 일 나는 거 아니거든, 아기야…….

닉 ……아기 아닌데…….

마사 전혀 아니지. 얼른…….

닉 (약해지면서) 하지만 와서 보면…… 아니면……?

마사 (말하는 내내 마사의 손은 닉의 다리를 쓰다듬는다.) 조지 말이야? 걱정 마. 게다가 친구들끼리 하는 키스에 뭐라 그러겠어? 동료들끼리 다 그렇게 하는 건데.
(둘 다 낮게 웃는다……. 닉은 약간 안절부절못한다.)
우린 아주 밀접한 가족이나 마찬가지야……. 아빠는 항상 그렇게 말씀하시지……. 아빠는 우리가 서로서로 잘 알기를 원해……. 그래서 오늘 밤 파티를 하신 거지. 그러니 얼른…… 좀 더 서로를 알아보자고.

닉 내가 그러기 싫다는 건 아니고요…… 정말이에요…….

마사 자기는 과학자잖아, 응? 얼른…… 실험해 봐……. 작은 실험을 해 보자고. 마사 아줌마에게 실험을 해 봐.

닉 (굴복하여) …… 그렇게 아줌마는 아닌데…….

마사 맞아, 그렇게 아줌마는 아니지, 하지만 경험이 많지……. 아주 많아.

닉 그…… 그렇겠죠.

마사 (둘이 서서히 가까워지는 동안) 자기에게도 괜찮은 변화가 될 거야.

닉 네, 그렇겠죠.

마사 자긴 새로운 기분으로 마누라에게 돌아갈 수 있을 거고.

닉　　(더 가까이…… 거의 속삭이듯) 달라진 것도 모를 겁니다.
마사　아아, 아무도 모를걸.

(서로 다가간다. 농담으로 시작한 것이 진지해지고, 마사가 그 방향으로 몰고 간다. 열광적이고 흥분하는 종류가 아니라 서서히 지속적으로 서로 얽혀 드는 과정에 가깝다. 마사는 의자에 그대로 있고 닉이 의자 옆이나 위에 올라가는 식이다.)

(조지가 들어와…… 멈추고…… 잠시 지켜보다가…… 미소 짓고…… 조용히 웃고, 고개를 끄덕인 후, 몸을 돌려, 퇴장한다. 아무도 보지 못한다.)

(닉은 이미 마사의 젖가슴에 손을 대고 있고, 이제는 드레스 안으로 손을 집어넣는다.)

마사　(닉의 속도를 늦추며) 저기…… 이봐. 천천히 해, 자기. 천천히 하라고. 서두르지 마. 응?
닉　　(여전히 눈을 감은 채) 아, 얼른, 빨리…….
마사　(닉을 밀치며) 으응. 나중에, 자기…… 좀 더 있다가.
닉　　말했잖아……. 난 생물학자야.
마사　(달래며) 알아. 알겠어. 좀 더 있다가, 응?

(조지가 무대 뒤편에서 소리를 낸다. 「누가 버지니아 울프를 두려워하랴?」를 부른다. 마사와 닉이 떨어진다. 닉은 입술을 닦고 마사는 옷매무새를 다듬는다. 모든 게 정리될 때쯤 조지가 얼음 바구니를

들고 다시 등장한다.)

조지 ……버지니아 울프를,
버지니아 울프를,
버지니아……
……아! 자, 여기 있어……. 중국의 등불을 녹일 얼음, 만주 벌판은 덤이지. (닉에게) 자네는 이 노랑이 놈들을 조심하는 게 좋아, 친구……. 걔들은 재미를 몰라. 자네, 우리 편으로 오라고, 그 자식들을 다 죽여 버리게. 그런 다음 돈을 나눠서 부자가 되어 볼까. 어때?

닉 (도대체 무슨 소리를 하는지 몰라서) 아…… 그러죠. 아! 얼음!

조지 (매우 가식적으로 열광적인 태도를 보이며) 맞아! (이제 마사를 향해 그르렁거린다.) 안녕, 마사…… 내 사랑…… 빛이…… 반짝반짝하는걸.

마사 (무심하게) 고마워.

조지 (아주 즐겁게) 자 그럼, 어디 보자. 얼음은 여기 가져왔구…….

마사 ……가져왔고…….

조지 가져왔구라고, 마사. 가져왔구도 맞는 말이거든……. 조금 더…… 예스러울 뿐이야, 자기처럼.

마사 (의심스럽다.) 왜 이리 들뜬 거야?

조지 (무시하고) 어디 보자……. 얼음 여기 가져왔구……. 누구 한잔할 사람? 마사, 한잔 만들어 줄까?

마사 (대담하게) 그래, 안 될 거 뭐 있겠어?

조지 (마사의 잔을 가져가며) 그럼……. 안될 거 뭐 있겠어? (잔을 검사한다.) 마사! 잔을 깨 먹고 있었잖아.

마사 아니거든!

조지 (카운터에 가 있는 닉에게) 자넨 알아서 한잔 만들고 있구먼, 좋았어…… 좋아. 마사에게 한잔 만들어 주면, 이제, 그걸로 다 된 셈이군.

마사 (의심스럽다.) 뭐가 다 돼?

조지 (사이…… 생각한다.) 글쎄, 나도 몰라. 우린 파티 중이잖아, 안 그래? (카운터를 떠난 닉에게) 현관 복도에서 자네 아내를 지나쳤어. 그러니까, 볼일 보고 오다가 자네 아내를 들여다봤다는 뜻일세. 평화로워……. 아주 평화로워. 깊이 잠들었더군……. 그리고…… 엄지손가락을 빨고 있었어.

마사 웨에엑!

조지 태아처럼 동그랗고 말고서, 손가락을 빨고 있었어.

닉 (약간 불안하게) 괜찮겠지요.

조지 (활달하게) 그렇고말고! (마사에게 술잔을 건넨다.) 여기 있어.

마사 (여전히 경계하며) 고마워.

조지 나도 한잔. 이번엔 내 차례지.

마사 아냐, 자기야……. 절대 자기 차례는 없어.

조지 (지나치게 명랑하게) 아, 이런, 그렇지 않을걸, 마사.

마사 지렁이도 밟으면 꿈틀한다는 거 얘기하는 거야? 당신이 지렁이라는 점은 맞아……. 하지만 꿈틀은…… 절대 아니지! 자기는 빳빳하잖아, 애송이, 아무 데도 움직여 가질 못하지……. (막연하게 생각한 후에) ……무덤이라면 몰라도.

조지 (킬킬대고 술을 마신다.) 아, 잠시만 기다려 봐, 마사……. 그 생각을 좀 더 부드럽게 만져 주시고…… 다듬어 보시라고……. 난, 앉아서…… 저기 앉아서 책이나 읽을 테니까.

(벽을 보고 있는 의자에 가서 앉는다. 방의 중앙에서 떨어져 있고 현관문에서는 그다지 멀지 않다.)

마사 뭘 하겠다고?

조지 (조용히 또렷하게) 책 읽을 거라고. 독서. 독서. 독서? 들어나 봤나? (책을 집어 든다.)

마사 (일어서며) 독서라니 뭔 소리야? 어떻게 된 거 아냐?

조지 (지나치게 차분히) 전혀 어떻게 되지 않았어, 마사……. 책을 읽을 거라고. 그뿐이야.

마사 (이상할 정도로 분노하며) 손님이 와 있잖아!

조지 (지나치게 인내심을 보이며) 알아, 여보……. (시계를 본다.) ……하지만…… 이제 4시가 넘었고 난 이 시각에는 항상 책을 읽지. 자, 당신은…… (마사에게 가라는 손짓) ……당신 일이나 보셔……. 난 여기 아주 조용하게 앉아 있을 테니…….

마사 넌 오후에 독서하잖아! 오후 4시에 읽는다고……. 새벽 4시에는 책을 읽지 않아! 아무도 새벽 4시에 책을 읽지는 않는다고!

조지 (책에 몰두하며) 자, 자, 이제 그만.

마사 (닉에게, 믿을 수 없다는 듯) 책을 읽겠다는군……. 저 개자식이 책을 읽겠대!

닉 (약간 미소 지으며) 그런 것 같네요.

(마사에게 다가가 팔로 허리를 끌어 앉는다. 물론 조지는 이를 보지 못한다.)

마사 (무슨 뜻인지 알고) 아, 우리끼리 재미를 보자, 이 말이지?

닉 그런 거죠.

마사 우리끼리 재미를 볼게, 조지.

조지 (올려다보지도 않은 채) 으응. 좋으실 대로.

마사 마음에 안 들지도 몰라.

조지 (전혀 올려다보지 않은 채) 그래, 그래, 자…… 얼른 해……. 손님을 즐겁게 해 드려야지.

마사 나도 즐거울 거야.

조지 좋아……. 좋아.

마사 하, 하. 당신은 미친놈이야, 조지.

조지 그래그래.

마사 아, 나도 미친년이야, 조지.

조지 그래 맞아, 마사.

(닉이 마사의 손을 잡아 자기에게 끌어당긴다. 잠시 그대로 있다가 긴 입맞춤.)

마사　(그 후에) 내가 뭐 하는지 알아, 조지?

조지　몰라, 마사……. 뭐 하는데?

마사　즐기는 중이야. 난 손님 한 분을 즐겁게 해 드리는 중이야. 손님 한 분과 애무하는 중이야.

조지　(마음 편하게 책에 집중하는 듯 보인다. 고개도 들지 않고) 아, 잘하고 있어. 어느 손님?

마사　(격노하여) 이런 젠장, 웃기는 자식이네. (닉에게서 떨어져 나와 혼자 조지가 보이는 쪽으로 움직인다. 균형을 제대로 잡지 못하고 현관 초인종을 쓸고 지나간다. 초인종이 울린다.)

조지　누가 왔어, 마사.

마사　신경 끄셔. 나 손님 한 분과 애무 중이라고 했잖아.

조지　좋아……. 좋아. 계속해.

마사　(사이…… 뭐라 반응해야 할지 몰라) 좋아?

조지　그래, 좋아……. 잘했어.

마사　(미간을 좁히더니 목소리가 굳어진다.) 아, 너 지금 뭐 하자는 건지 알겠어, 이 쥐새끼 같은…….

조지　난 지금 100쪽쯤 읽겠다는 거지…….

마사　관둬. 허튼수작 관둬! (현관 초인종을 치는 바람에 또 울린다.) 지랄 맞게 땡땡거리네.

조지　땡땡이 종이니까, 마사. 손님과 하던 애무나 계속하시고 나 좀 내버려 두시지? 책을 좀 읽고 싶으니까.

마사　뭐 이런, 거지 같은……. 본때를 보여 주지.

조지　(빙글 돌아 마사를 마주 보며…… 엄청난 증오를 담아 말한다.) 아니……. 손님께 보여 드려, 마사……. 아직 못 보셨을 테니. 아마 아직 안 보셨을걸. (닉을 돌아본다.) 아직 못 보셨지, 엉?

닉 (혐오하는 얼굴로 외면하며) 정말…… 존경할 수 없는 분이로군.

조지 댁도 그러신데, 뭘……. (마사에게) 젊은 것들이 뭐가 되려는지, 원.

닉 당신은…… 정말 아무…….

조지 신경도 안 쓰냐고? 정확히 맞췄어……. 아무 신경 안 써. 그러니 이 비겟덩어리를 끌고 가 자빠뜨리든가…….

닉 혐오스러워.

조지 (이해할 수 없다는 듯) 자네가 마사를 올라탈 건데 내가 혐오스럽다고?

(조지는 조롱하는 웃음을 터뜨린다.)

마사 (조지에게) 개자식! (닉에게) 좀 가 있어, 응? 주방에 가 있어. (닉은 움직이지 않는다. 마사, 닉에게 가서 허리에 손을 감는다.) 얼른, 자기야…… 제발. 가서 기다려……. 주방에서……. 착하지.

(닉이 마사의 키스를 받아들이고 이미 등을 돌리고 앉은 조지를 쏘아본다. 그리고 퇴장.)

(마사가 조지에게 돌아선다.)

내 말 좀 들어봐…….

조지 괜찮다면, 마사, 난 책을 읽고 싶은데…….

마사 (분이 넘쳐 거의 눈물을 흘릴 지경이다. 좌절이 분노로 바뀐다.) 아니, 나 안 괜찮아. 자, 내 말 들어! 그 잘난 짓거리 관두시지, 그렇지 않으면 내가 맹세코 박살을 내 주겠어. 내 맹세코 주방으로 저 자식을 따라 들어가서 2층으로 끌고 가서…….

조지 (다시 홱 돌려 마사를 보면서…… 큰 소리로…… 혐오감을 드러내며) **그래서 어쩔 건데, 마사?**

마사 (잠시 조지를 골똘히 보다가…… 고개를 끄덕이며 슬그머니 뒤로 물러난다.) 좋아……. 좋아……. 먼저 그러라고 했겠다……. 그렇게 해 주지.

조지 (부드럽게, 구슬프게) 맙소사, 마사, 저 애가 그렇게 좋으면…… 가져……. 하지만 정직하게 가지라고, 알겠어? 이런…… 갖가지…… 변죽 두드리는 짓 하지 말고.

마사 (절망하여) 나와 결혼하고 싶어 한 걸 후회하게 해 주겠어. (현관 복도에서) 이 대학으로 오기로 했던 날을 후회하게 해 주겠어. 스스로 자포자기한 걸 후회하게 해 주겠다고.

(마사가 퇴장한다.)

(침묵. 조지는 눈앞을 응시하며 조용히 앉아 있다. 귀를 기울여 보지만…… 아무 소리도 들리지 않는다. 겉으로 보기에 평온하게, 다시 책을 읽는다. 잠시 읽다가 올려다본다……. 골똘히 생각한다.)

조지 "그리고 서구는, 절름발이 동맹에 방해받고, 세태의 변화에 발맞추지 못할 만큼 지나치게 경직된 윤리가 부담으로 작용해…… 결국에는…… 멸망할 수밖에 없다."

(조지, 짧고 구슬프게 웃는다. ……손에 책을 들고 일어선다. 조용히 서 있다가…… 속에 쌓여 있던 분노를 잽싸게 추스르며…… 몸을 떨고…… 다시 손에 든 책을 보다가 울부짖는 듯 괴성을 내지르며 현관 초인종을 향해 책을 던진다. 책과 종이 서로 부딪치며 요란한 소리가 울린다. 잠시 후, 허니가 들어온다.)

허니 (지친 데다 졸리고 여전히 속이 안 좋다. 여전히 약간 비틀거린다. ……잠결에 흐릿하게) 종소리. 울린다. 종소리 울려.

조지 제길!

허니 잘 수가 없어…… 종소리 때문에. 딩, 동, 댕……. 자꾸 깨워. 몇 시죠?

조지 (제정신이 아닌 상태, 조용히) 건들지 마.

허니 (어리둥절하고 질려서) 자고 있는데, 종소리가 들려서…… **쿵!** 기괴한 종소리…… 기괴한 종소리였어……. 딩, 동, 댕, **쿵!**

조지 **쿵!**

허니 자고 있는데, 뭔가…… 꿈에 나왔어……. 근데 무슨 소리가 났어, 뭔지 알 수 없었어.

조지 (전혀 허니를 상대해 줄 기세가 아니다.) 몸뚱이 부딪치는 소리지…….

허니 일어나고 싶지 않은데, 계속 소리가 났어…….

조지 ……잠이나 자러 가…….

허니 ……**무서웠어!**

조지 (조용히…… 마사에게, 마치 그녀가 방안에 있는 것처럼) 본때를 보여 주겠어…… 마사.

허니 그리고 너무…… 차가웠어. 바람이…… 바람이 너무 차가웠어! 어디 누워 있는데, 담요가 자꾸 미끄러져 가 버렸어, 그러는 거 싫은데…….

조지 두고 봐, 마사.

허니 …… 그리고 거기 누군가 있었어……!

조지 거긴 아무도 없었어.

허니 (겁에 질려) 누가 오면 안 되는데……. 난…… 벌거벗고 있었거든!

조지 넌 당최 무슨 일이 벌어지고 있는지 모르지, 응?

허니 (여전히 꿈속인 양) **난 아무도…… 원치 않아……. 안 돼!**

조지 잠시 단잠 즐기시는 동안 무슨 일이 있었는지 당최 모르지, 너는.

허니 **몰라! ……나는 아무도 원치 않아! 난 다 싫어……. 가 버려…….** (울기 시작한다.) **난…… 애가…… 싫어.** 난…… 애가…… 싫어. 난 무서워! 난 아프기 싫어……. **제발!**

조지 (고개를 끄덕이며…… 동정하듯) 그랬군.

허니 (몽롱한 상태에서 확 깨어나며) 뭐가! 뭐가요?

조지 그랬던 거군……. 모든 일이…… 두통하며…… 찡찡거리는 것도…… 그게…….

허니 (공포에 질려) 무슨 소리예요?

조지 (다시 음흉하게) 남편도 알아? 네가 결혼한 그……놈도 아냐고?

허니 뭘 알아요? 저리 가요!

조지　걱정 마, 자기야…… 안 건드릴 테니……. 아, 맙소사, 그러면 재밌을 텐데, 그렇지! 하지만 걱정 마, 자기야. 어떻게 한 거야? 응? 어떻게 놈도 모르게 조용히 지워버린 거지, 응? 약? **약이야?** 살짝 약을 썼어? 아니면 뭐야? 사과 젤리야? 아니면 순전히 **의지력이야?**

허니　속이 안 좋아!

조지　또 토하려고? 차가운 타일 위에 또 누우려고? 무릎을 세워 웅크리고 엄지손가락을 입에 넣고……?

허니　(겁을 집어먹고) 그이는 어디 있지?

조지　누가 어디 있어? 여긴 아무도 없어, 자기야.

허니　우리 그이 어디 있어! 술은 어디 있지!

조지　글쎄, 직접 카운터로 기어가서 한잔 만들어 드시지. (무대 뒤편에서 마사의 웃음소리와 접시 깨지는 소리가 들린다.) (소리 지르며) 그래! 직접 가 보셔!

허니　나…… 뭔가 필요해…….

조지　새댁, 저기서 무슨 일이 일어나고 있는 줄 알아? 응? 들리느냐고? 저기서 무슨 일이 일어나는지 알아?

허니　난 알고 싶지 않아!

조지　저기 사람이 두어 명 있거든…….

(마사의 웃음소리 다시 들린다.)

……둘이 저기 주방 안에 있거든……. 바로 저기, 양파 껍질, 커피 찌꺼기 있는 곳에서…… 일종의…… 일종의…… 다가올 미래의 파도에 대비해 일종의 예행연습을 한다고 할까.

허니　(제정신이 아니다.) 난…… 무슨…… 소린지…… 도통…….

조지 (기괴한 흥분으로) 아주 간단하지……. 사람들은 자기 모습을 감당할 수 없을 때, 현재를 감당할 수 없을 때, 둘 중 하나를 하게 되거든……. 나처럼 과거를 들여다 보거나…… 아니면 미래를 바꾸기 위해…… 작업하지. 뭔가를 바꾸려면…… 퍽! 퍽! 퍽! 해야 되는 거야!

허니 그만!

조지 그런데 넌, 넌 낑낑대는 암캐처럼…… 아이가 싫다고?

허니 날 좀 가만히…… 내버려 둬. 누가…… **누가 종을 울린 거지?**

조지 뭐?

허니 그 종은 뭐였지? 누가 울렸지?

조지 굳이 알아야겠어, 정말? 별로 알고 싶지 않을걸, 응?

허니 (몸을 떨며) 당신 얘기 듣고 싶지 않아……. 누가 종을 울렸는지 알고 싶어.

조지 네 남편이 이러는 와중에…… 넌 누가 종을 울렸는지 알고 싶다고?

허니 누가 울렸어? 누군가 종을 울렸어!

조지 (입을 벌린다. ……퍼뜩 무슨 생각이 스친다.) ……누가…….

허니 **종을 울렸어!**

조지 ……누가…… 종을 울렸어……. 그래……. 그래애…….

허니 종이…… 울렸어…….

조지 (열심히 생각을 굴리며) 종이 울렸는데…… 그게 누구냐면…….

허니 누군가…….

조지 (이제 안정하여) ……누가 종을 울렸어……. 누군가…….

됐어! 됐다고, 마사……! 누군가 소식을 가지고…… 그 소식은…… 우리 아들…… **우리 아들이지!** (거의 속삭이듯) 소식이 왔어……. 종이 울렸는데, 그건 우리 아들…… 소식이었어……. 그 소식은…… 우리 아들…… 우리…… 아들이…… **죽었단 거지!**

허니 (속이 뒤집힐 지경으로) 아…… 안 돼.

조지 (마음을 굳히며) 우리 아들이…… 죽었어……. 그리고…… 마사는 그걸 몰라……. 난 아직…… 말하지 않았어.

허니 안 돼……. 안 돼……. 안 돼…….

조지 (천천히, 생각에 잠겨) 우리 아들이 죽었는데, 마사는 아직 몰라.

허니 아, 맙소사…… 아니야.

조지 (허니에게…… 천천히, 생각에 잠겨, 냉정하게) 너도 얘기하면 안 돼.

허니 (눈물 바람으로) 댁의 아들이 죽었어.

조지 내가 직접 얘기할 거야……. 적당한 때에. 내가 직접 얘기할 거야.

허니 (약하게) 토할 거 같아.

조지 (허니에게 등을 돌리며…… 지나치게 부드럽게) 그래? 잘 됐군.

(마사의 웃음소리 다시 들린다.)

아, 저것 좀 들어 봐.

허니 나 죽을 거 같아.

조지 (상당히 침착해져서) 좋아……. 좋아……. 얼른 가서 죽어.

(아주 부드럽게, 혹시라도 마사가 듣지 못하도록)

마사? 마사? 좋지 않은…… 소식이 있어.
(입술에 기묘한 미소가 떠오른다.)
우리…… 아들 얘기야. 아이가 죽었어. 들려, 마사? 우리 아들이 죽었대.

(아주 부드럽게 웃기 시작하는데…… 흐느낌과 뒤섞인다.)

(막)

3막
귀신 쫓기

마사, 혼잣말하며 등장.

마사 어이, 어이…… 다들 어디 간 거지……? (아무도 없는 게 확실하다.) 뭐야? 날 빼고, 빌어먹을…… 그 뭐냐…… 잡초 뽑듯이 나만 뽑아내…… 헌신짝 버리듯이 버린 거야…… 조지? (주변을 돌아본다.) 조지? (침묵) 조지! 뭐 하는 거야, 숨기라도 한 거야, 뭐야? (침묵) **조지!** (침묵) 오, 이런 빌어먹…… (카운터로 가서 술을 한 잔 따르고 이어지는 행동을 하며 혼자서 노닥거린다.) 버려졌어! 내버려졌어! 추운 날씨에 오갈 데 없는 늙은 고양이처럼 내버려졌어. **하!** 술 한잔 가져다줄까, 마사? 오, 고마워, 조지, 정말 친절하네. 아니, 마사, 아니야, 당신을 위해서라면 뭐든지 할게. 그럴 거야, 조지? 아, 나도 그럴게. 정말이야, 마사? 그럼, 그렇고말고, 조지. 마사,

나 당신을 잘못 알았어. 나도 당신을 잘못 알았군, 조지. **다들 어디 간 거야!!!** 안주인 올라타기 해야지! (자신이 한 말에 큰 소리로 웃고 의자에 털썩 주저앉는다. 진정한 뒤 참담한 표정으로, 부드럽게 말한다.) 잘도 그러겠다. (더 나지막이) 잘도 그러겠어. (아기 말투로) 아빠? 아빠? 마사가 버려졌어. 나쁜 짓을 해서 버려졌어……. (시계를 힐끗 본다.) ……아직도 오전 몇 시네……. 하얀 쥐 아빠, 정말 눈이 빨개? 정말? 어디 봐. 오오! 정말 그러네! 정말 그래! 아빠, 눈이 빨개……. 내내 우니까 그렇지, 맞지, 아빠. 그래, 맞아. 아빠는 마아안날 울지. **다섯 셀 때까지 숨은 데서 모두 나와, 이 개새끼들아!** (사이) 나도 만날 울어, 아빠. 나도 마아안날 울어. 그렇지만 맘속 깊은 곳에서 우니까, 아무도 못 봐. 나도 만날 울어. 조지도 만날 울어. 우리 둘 다 만날 울어, 울어서 나온 눈물은 모아서 아이스박스에 넣어 두지. 빌어먹을 얼음 접시에 모아서. (소리 내 웃기 시작한다.) 전부 다 얼면 (더 크게 웃는다.) 그러면…… 우리…… 술잔에 넣어서…… 마시지. (더 웃어 대는데, 웃음 이상의 무언가가 섞여 있다. 잠시 침묵한 후 침착하게) 주둥이로 빠져나가고, 아래로 내뿜고…… 죽었어, 가 버렸어, 잊혔어……. 주둥이로 빠져나가는 게 아니라 주둥이로 내뿜는 거지. **사내들의 밤.** 주둥이로 내뿜고…… (구슬프게) 난 눈에다 와이퍼를 달고 다녀, 당신과 결혼했으니까…… 여보! ……마사, 당신 작곡가 해도 되겠어. (술잔 속 얼음을 가볍게 흔든다.) **쨍그랑!** (한 번 더) **쨍그랑!** (낄낄거리며 서너 번 되풀이한다.) **쨍그랑!** ……**쨍그랑!** ……**쨍그랑!** ……**쨍그랑!**

(마사가 쨍그랑거리는 동안 닉이 들어온다. 닉이 복도에 서서 그녀를 바라보다가 이윽고 들어온다.)

닉 맙소사, 댁도 드디어 정신이 나가 버렸군.

마사 쨍그랑?

닉 댁도 드디어 정신이 나가 버렸다고.

마사 (잠시 생각한다.) 그래…… 아마도.

닉 모두 다 미쳐 버렸어. 아래층에 내려오니, 꼴이…….

마사 꼴이?

닉 ……마누라는 술병을 들고 화장실에 들어가면서 나에게 윙크를 하고…… 나에게 윙크를 한다고! …….

마사 (구슬프게) 한 번도 윙크를 한 적이 없었나 보군. 가엾게도…….

닉 다시 바닥 타일에 누웠는데, 조그맣게 꼬부리고서, 술병 라벨을 벗기고 있어, 브랜디 병에…….

마사 …… 그렇게 하면 병 보증금을 못 받지…….

닉 ……뭘 하냐고 물어봤더니 한다는 말이…… 쉬이이잇! 아무도 내가 여기 있는 줄 몰라. 그러고 여기 와 보니 당신은 쨍그랑! 이런 제기랄, 쨍그랑!

마사 **쨍그랑!**

닉 전부 다 돌았어.

마사 그래. 슬프지만 진실이지.

닉　　남편은 어디 갔어요?

마사　사라졌어. 쉬이익!

닉　　모두 미쳤어. 돌았다고.

마사　(사투리를 흉내 낸다.) 흐미, 우리 작은 머리통에 세상의 비현실이 너무 무겁게 짓눌러 오잖유, 이렇게라두 도피해야쥬. (다시 정상적인 목소리로) 긴장 풀어. 푹 쉬라고. 너도 다른 사람들과 마찬가지야.

닉　　(지쳐서) 그런 거 같아요.

마사　(잔을 입에 대며) 넌 어떤 부분에서는 엉망진창이야.

닉　　(움찔하며) 뭐라고요……?

마사　(지나치게 큰 소리로) 넌, 엉망진창이라고…….

닉　　(또한 큰 소리로) 실망시켜 드려 죄송하군요.

마사　(울부짖는다.) 실망했다는 말이 아니야! 돌대가리!

닉　　열 시간씩 계속 술을 퍼마시지 않았을 때 한번 시도해 보시죠, 그러면 아마…….

마사　(여전히 울부짖는다.) 난 네 잠재력에 대해 이야기하고 있는 게 아냐. 네 현재 수행 능력이 지랄 같다고 얘기하는 거지.

닉　　(부드럽게) 아.

마사　(또한 부드럽게) 네 잠재력은 괜찮아. 훌륭해. (눈썹을 꿈틀한다.) 완전 훌륭하지. 최근엔 그처럼 훌륭한 잠재력을 본 적이 없어. 오, 하지만 자기, 자기는 확실히 엉망이야.

닉　　(낚아채며) 댁에게는 모두 다 엉망이죠! 댁의 남편도 엉망진창, 나도 엉망진창…….

마사 (간단히 젖히며) 너희들은 모두 엉망진창이야. 난 대지의 여신이고 너희들은 모두 엉망이야. (독백하듯) 난 내가 역겨워. 내 인생은 전혀 의미 없는 싸구려 불륜으로 가득 차 있지……. (구슬프게 웃는다.) 제대로 된 불륜도 아니지. 안주인 올라타기? 웃겨. 술에 취해 힘도 못 쓰는 헐렁이들이……. 마사가 추파를 던지면 헐렁이들은 씩 웃고 어여쁜 눈동자를 희번덕거리며 더 씩 웃고, 마사가 입술을 쪽쪽 빨면 헐렁이들은 기운을 추스르려 카운터로 달려가지. 그러고는 좀 더 기운을 추스르고 다시 멋진 마사에게 뛰어 돌아오는데, 마사는 그 앞에서 야한 댄스를 추고 헐렁이들은 완전히 기운 뻗치는 거지…… 정신적으로……. 그리고 다시 카운터에 가서 한잔 빨고 더 기운을 차리고, 아내나 애인은 거만하게 콧대 세우고 앉아 있고…… 어떤 때는 코가 천장에 닿을 지경이라니까……. 그러면 헐렁이들은 다시 옹달샘으로 가서 술 마시고 힘내고, 그동안 귀여운 마사는 치마를 훌렁 뒤집어쓰고 앉아 있다고……. 숨 막히지, 치마를 머리에 쓰고 있으면 얼마나 숨 막히는지 모르지, 질식할 거 같다고! 그러곤 헐렁이들을 기다리는 거야. 아, 마침내 기운 내서 오지만…… 그게 다란다, 아가! 아이고, 어떤 때는 아주 멋진 잠재력도 있지, 하지만, 아이고! 아이고, 아이고, 아이고. (밝게) 문명사회라는 게 다 그렇지 뭘. (다시 독백으로) 화끈한 헐렁이들. 불쌍한 것들. (이제 닉에게, 진지하게) 나를 행복하게 해 준 남자는…… 평생에 단 하나뿐이야.

알겠어? 하나뿐이야!

닉 그…… 뭐라고 했더라……? ……어 ……잔디 깎는 남자던가?

마사 아냐, 걔는 잊어버렸어. 하지만 그 애와 나는 말하자면 관음증 같은 거야. 으흠. 아냐, 그 남자 아냐. 조지를 말하는 거야, 당연히. (닉의 반응이 없자) 그래……. 조지, 남편 말이야.

닉 (믿지 않는다.) 농담하시는 거겠지.

마사 내가?

닉 농담이죠. 조지라고?

마사 그래.

닉 (농담처럼) 그럼, 그럼.

마사 믿지 않는군.

닉 (짐짓) 에이, 물론 믿지.

마사 자긴 보이는 대로만 믿는구나?

닉 (조롱 조로) 아이고 이런…….

마사 ……어둠 속 어딘가에 있는 조지. ……내게 잘해 주지만 내가 욕을 퍼붓는 조지, 나를 이해해 주고 내가 기죽이는 조지, 나를 웃게 하지만 나는 그 웃음을 억지로 참지. 밤에 나를 안아 주고 나를 따뜻하게 안아 주지만 피가 나도록 내가 물어뜯는 조지, 내가 규칙을 바꾸는 만큼 우리가 하는 게임을 빠르게 계속 배워 가는 조지, 나를 행복하게 해 주는데 난 행복하고 싶지 않아. 그래, 난 행복하고 싶어. 조지와 마사, 슬프고, 슬프고 슬프지.

닉 (따라하며, 여전히 미심쩍은 듯) 슬퍼.

마사 ……난 그가 쉬러 왔다는 걸 용서할 수가 없어. 날 보고선 "그래, 이정도면 되겠어."라고 말한 조지를. 나를 사랑하는 그 끔찍하고 뼈아프고 모욕적인 실수를 한 조지를. 벌 받아야 해. 조지와 마사, 슬프고, 슬프고 슬퍼.

닉 (어리둥절해서) 슬퍼.

마사 ……참고 인내하는 그이를 참을 수가 없어. 다정한데 사실 잔인한 거야. 이해해 주는데, 도저히 이해할 수 없는 일이야…….

닉 조지와 마사, 슬프고, 슬프고 슬퍼.

마사 언젠가…… 하! 어느 밤엔가…… 어느 방탕하고, 술에 전 밤에…… 난 기어코 선을 넘어서…… 그이의 등짝을 부러뜨리든가…… 완전히 죽여 놓을 거야……. 난 그렇게 해도 싸.

닉 그 양반 척추가 멀쩡하지는 않은 것 같던데.

마사 (비웃으며) 그래? 그래 보이겠지. 이봐, 애송이, 넌 네 망원경만 등짝 휘어지게 들여다보느라고…….

닉 현미경이거든요…….

마사 ……그래……. 그러느라 넌 아무것도 보지 못하지? 넌 뭐든지 다 들여다보려 들지만 빌어먹을 마음이란 놈은 결코 보지 못해. 넌 조그만 점과 얼룩 같은 건 볼 수 있지만 뭐가 어떻게 돌아가는지는 보지 못하지, 안 그래?

닉 사람 등이 부러진 것은 보면 알아요.

마사 그러니!

닉 그럼요.

마사 아…… 넌 모르는 게 너무 많아. 그런 주제에 세상을 접수하시겠다, 응?

닉 이제 됐네요…….

마사 넌 광대 짓을 하고 절룩거리며 걸으면 등이 부러진 거라고 생각하지? 그게 네가 **진짜로** 아는 전부지?

닉 됐다고요!

마사 오오! 수놈이 열 받았네, 응. 고자께서 화가 나셨어. 하, 하, 하, **하!**

닉 (상처 받은 목소리, 나지막하게) 당신…… 거칠어지셨군요, 정말.

마사 (의기양양) **하!**

닉 어디서든지…… 막무가내.

마사 **하!** 난 아무 데고 쏜다니까. 하하하하!

닉 (경이롭다는 투로) 무차별…… 사살. 의미 없이.

마사 오! 불쌍한 자식.

닉 다 쏴 버려.

(현관 초인종이 울린다.)

마사 문 좀 열어 봐.

닉 (멍하니) 뭐라고요?

마사 가서 문 좀 열라고. 귀가 먹었어?

닉 (알아들으려고 애쓰며) 나더러…… 문을 열라고……요?

마사　그래, 헐렁아. 문 좀 열라고. 잘하는 게 한 가지는 있겠지, 너도. 아니면 너무 취해서 그것도 하나 딱딱 못 해? 문고리도 제대로 못 벗긴다고?
닉　이봐요, 그렇게 말할 것까지야…….

(현관 초인종이 다시 울린다.)

마사　(소리 지른다.) 가서 문 열어! (좀 더 부드럽게) 여기서 잠시 종노릇 좀 해. 지금부터 시작해.
닉　여보세요, 부인, 제가 댁의 심부름꾼은 아니거든요.
마사　(명랑하게) 당연히 심부름꾼이지. 자긴 야심만만하잖아? 그저 정신 나간 정욕에 불타서 주방과 2층을 오가며 나를 쫓아다녔나? 자기 장래에 대해서 약간은 생각하고 있었을 거 아냐? 자, 사다리를 타고 올라가려면 종노릇도 당분간 해야 해.
닉　댁은 도무지 한계가 없군, 안 그래?

(현관 초인종이 다시 울린다.)

마사　(차분하고 확실하게) 그래, 자기야, 난 한계가 없어. 문을 열어. (닉이 망설인다.) 이봐, 자기야, 일단 코를 쑤셔 박았으면 나가고 싶다고 아무 때나 가진 못하지. 넌 여기 당분간 있어야 해. 자, 가!
닉　목적도 없고…… 방탕하고…… 의미 없는…….
마사　자, 자, 자. 들은 대로 해. 뭐 하나는 제대로 할 수 있다는 걸 여기 마사 아줌마에게 보여 줘. 응? 착하지.

닉 (잠시 생각하다가 굴복하고 문으로 간다. 다시 현관 초인종이 울린다.) 가요, 제기랄!

마사 (손뼉을 친다.) **하하!** 멋져, 훌륭해. (노래한다.) "어디를 가든지 사람들은 내게 말하네, 하찮은 난봉꾼아……."

닉 **그만해!**

마사 (낄낄거린다.) 미안해, 자기야. 가 봐. 문을 열어.

닉 (아주 처량하게) 젠장.

(문을 홀쩍 열어젖힌다. 열린 틈으로 손 하나가 커다란 금어초 다발을 들이민다. 잠시 그대로 있다. 누가 그 뒤에 있는지 보려고 닉이 양미간을 좁힌다.)

마사 아, 멋지군!

조지 (금어초로 얼굴을 가린 채 문간에 나타난다. 가식적으로 갈라진 목소리로 말한다.) 플로레스, 플로레스 파라 로스 무에르토스. 플로레스.*

마사 하, 하, 하, **하!**

조지 (방 안으로 한걸음 들어선다. 꽃을 내린다. 닉을 본다. 조지의 얼굴이 밝아진다. 팔을 벌린다.) 아들아! 생일을 맞이하여 집으로 돌아왔구나! 드디어!

닉 (뒤로 물러서며) 내게서 떨어져.

---

* Flores; flores para los muertos. Flores. 멕시코어로 '꽃이오, 죽은 사람을 위한 꽃이오. 꽃.'이라는 뜻. 테네시 윌리엄스의 희곡 『욕망이라는 이름의 전차』에 나온 구절을 인용한 것.

마사 하, 하, 하, 하! 우리 집 종이라오, 아이고.

조지 정말? 우리 아들 짐이 아니라고? 완전 미국산 거시기 뭐시기 우리 아이가 아니라고?

마사 (낄낄대며) 아아, 절대 아닐걸. 만약 우리 아들이라면 진짜 웃기게 놀고 있는 거지.

조지 (거의 광적으로) 오오! 그래 맞아! 애송이, 애송이, 그렇지? (민망한 척) 나…… 나…… 여기 꽃 가져왔쪄, 마타, 왜냐면 나…… 응…… 자기 너무…… 끝내주거덩.

마사 팬지! 로즈마리! 폭력이닷! 내 결혼식 꽃다발이야!

닉 (물러나려고) 저, 두 분 소꿉장난에 방해가 안 된다면 저는 이만…….

마사 아하! 너 여기 그대로 있어. 우리 서방님께 한잔 만들어 드리고.

닉 그러고 싶지 않은데.

조지 아니, 마사, 아니. 그건 지나친 일이야. 이이는 당신 종이야, 자기야, 내 종이 아니지.

닉 난 어느 누구의 종도 아니야…….

조지, 마사 ……지금은! (노래한다.) 지금 난 어느 누구의 종도 아니야……. (같이 웃는다.)

닉 이런 사악한…….

조지 (닉을 대신해 대사를 맺는다.) ……아이들이지. 그렇지? 그렇지 않아? 처량하기 짝이 없는 게임을 하며 살아 보려고 콩콩 뛰어다니는 사악한 아이들이지, 그렇지? 그렇지 않아?

닉 그 비슷하네.

조지 조져 버려, 자기야.

마사 쟤 못해. 쟤 완전 술에 절었어.

조지 지인짜아? (금어초 다발을 닉에게 넘긴다.) 자, 여기, 이건 술에 좀 담가 봐. (닉이 그것을 받아 물끄러미 쳐다보다가 발치에 떨어뜨린다.)

마사 (부러 낙담한 체) 아이이이이.

조지 마사의 금어초에다가…… 그런 몹쓸 짓을 하다니.

마사 이게 그런 거야?

조지 그러엄. 오늘 달밤에 마사를 위해 꺾으러 나갔다는 거 아냐, 게다가 우리 아들 생일이 내일이기도 하거덩.

마사 (정보를 흘린다.) 지금은 달이 없는데. 침실 창으로 달이 지는 거 아까 봤거든.

조지 (즐거운 척) 침실 창문으로! (정상적인 목소리로) 아니, 달이 있었다고.

마사 (지나치게 참을성 있게, 약간 웃으며) 달이 있었을 리가 없어.

조지 아니, 있었다고. 있었어.

마사 달이 없어. 달이 졌어.

조지 달이 있어. 달이 떴어.

마사 (예의를 차리려고 노력하며) 착각하신 거 같은데요.

조지 (지나치게 명랑하게) 아냐, 아냐.

마사 (이를 악물고) 빌어먹을 달이라고는 없거든.

조지 나의 사랑하는 마사……. 칠흑 같은 밤에 금어초를 꺾었을 리가 없잖아. 칠흑 속에서 장인어른 온실을 더듬고 돌아다닌 게 아니라고.

마사　아니……. 그랬어. 넌 그럴 놈이거든.

조지　마사, 난 눈 깜짝할 사이에 꽃을 꺾은 게 아니거든. 하늘에서 내려오는 빛 없이 온실을 털어 본 적은 없어.

마사　(마침표를 찍듯) 달은 없어. 달은 졌어.

조지　(아주 논리적으로) 그럴지도 몰라, 예쁜이. 달이 벌써 졌더랬는지도 모르지……. 하지만 다시 올라왔어.

마시　달은 다시 올라오지 않아. 달은 한번 지면 계속 진 채로 있어.

조지　(다소 험악하게) 당신은 아무것도 몰라. 달은 지고 나서 또 올라왔어.

마사　**개 같은 소리!**

조지　멍청이! 진짜…… 멍청이.

마사　누가 멍청이인지 보라지!

조지　예전에…… 예전에, 마요르카를 항해할 때 루스벨트 얘기를 하는 특파원 한 명과 갑판에서 술을 마시고 있었는데, 달이 지더라고, 잠시 그걸 생각해 봤는데…… 그 생각을 했다고, 알겠어……? 그러고 나서, **퐁,** 다시 달이 뜨더라고. 그러더라니까.

마사　사실이 아냐! 거짓말이야!

조지　모든 걸 거짓말이라고 하면 안 돼, 마사. (닉에게) 그러면 안 되지 않아?

닉　젠장, 둘이 거짓말을 하는지 아닌지 난 몰라요.

마사　그래, 맞아!

조지　그러면 안 되는 거지.

마사　맞아!

조지 어쨌든 마요르카를 항해할 때…….
마사 당신은 한 번도 마요르카에 간 적이 없어…….
조지 마사…….
마사 당신은 빌어먹을 지중해에 간 적이 없다고…… 한 번도…….
조지 분명 갔어! 엄마 아버지가 대학 졸업 선물로 날 데려갔어.
마사 똥 같은 소리!
닉 그건 댁이 부모를 죽인 이후의 일인가요?

(조지와 마사가 휙 돌아서 닉을 쳐다본다. 짧지만 험악한 순간이 흐른다.)

조지 (도전적으로) 아마도.
마사 그래. 아닐지도 모르고.
닉 제길!

(조지가 허리를 숙여 금어초 다발을 줍는다. 닉의 얼굴에 대고 먼지떨이처럼 살짝 흔들고 멀어진다.)

조지 하!
닉 이런 빌어먹을.
조지 (닉에게) 진실과 환상. 그 차이가 뭐람, 응, 이봐? 응?
마사 당신은 한 번도 지중해에 간 적이 없어……. 진실이든 환상이든…… 어느 쪽이든.

조지 내가 지중해를 안 갔으면 어떻게 에게 해를 갔겠어? 응?

마사 **육로로!**

닉 그래!

조지 종놈은 편들고 나서지 말지.

닉 난 종놈 아니야.

조지 이봐! 난 게임의 룰을 알아! 침실에서 제대로 못하면 종놈이야.

닉 **난 종놈 아니라니까!**

조지 아니라고? 그렇다면 침실에서 잘했군, 그런 거야? (약간 거칠게 숨을 내쉰다. 광기 어린 듯 행동하며) 그래? 여기서 누군가 거짓말하는 거네. 누군가 게임을 제대로 안 하고 있어. 그래? 자아, 자 어디 말해 봐. 누가 거짓말을 하고 있는 거지? 마사? 말해 봐!

닉 (잠시 후 마사에게 강하게 호소하는 투로) 내가 종이 아니라고 말해 줘요.

마사 (잠시 후 조용히 머리를 숙이며) 그래. 넌 종이 아니야.

조지 (서글프게 안도하며) 그러시든가.

마사 (호소하듯) 진실과 환상. 조지, 넌 그 차이를 몰라.

조지 맞아, 하지만 아는 것처럼 행동해야만 하지.

마사 아멘.

조지 (꽃을 휘두르며) **에라, 꽃이다!** (닉과 마사가 약하게 웃는다.) 어때? 우리 한번 놀아 볼까, 응?

닉 (마사에게 부드럽게) 고맙습니다.

마사 됐어.

조지 (크게) 내가, 우리 한번 놀아 볼까라고 했잖아!

마사 (안절부절못하고) 그래, 그래, 알았어. 에라, 꽃이라고.

조지 (금어초를 잡아 창던지기를 하듯 마사를 겨냥하고 던진다.) **꽃!**

마사 하지 마, 조지.

조지 (또 하나 던진다.) **꽃!**

닉 그러지 말라고.

조지 수말은 입 닫아.

닉 난 수말 아니에요!

조지 (꽃 하나를 닉에게 던진다.) **꽃!** 그럼 넌 종놈이다. 어느 쪽이야? 너는 어느 쪽이냐고? 엉? 결정을 해. 어느 쪽이든…… (꽃 하나를 또 닉에게 던진다.) **꽃!** ……넌 밥맛이야.

마사 그게 당신과 무슨 상관이라도 있어, 조지?

조지 (꽃 하나를 마사에게 던진다.) **꽃!** 아니 사실은, 전혀 상관없어. 어느 쪽이든…… 많이 겪었어.

마사 그 빌어먹을 거 그만 던져!

조지 어느 쪽이든. (꽃을 또 하나 마사에게 던진다.) **꽃!**

닉 (마사에게) 저 사람…… 손 좀 볼까요?

마사 그냥 가만 내버려 둬!

조지 네가 종놈이라면, 그래, 내 뒤를 따라다니며 뒤치다꺼리나 해. 만약 수말이라면 네 밭을 보호해야 하고. 어느 쪽이든. 어느 쪽이든…… 다.

닉 아, 제발이지…….

마사 (약간 두려워하며) 진실 아니면 환상이야, 조지. 그게 대체…… 당신에게 상관이나 있어?

조지 (아무것도 던지지 않고) **꽃!** (침묵) 자기는 그 답을 알아?

마사 (슬프게) 알아.

조지 자기 방금 싸울 태세를 단단히 갖춘 거지. (닉이 복도로 가려는 것을 보고) 이제 우리 한 가지 게임이 남았어. 아이 꺼내기 게임이라고 불리지.

닉 (숨을 죽여 들이키며) 아, 정말이지…….

마사 조지…….

조지 소동 피울 거 없어. (닉에게) 여기서 나쁜 소문이 나기를 원하진 않겠지, 안 그래, 형씨? 일을 망치고 싶어? 응? 시간표에 맞춰 살고 싶지, 그렇지? 그러면 앉아! (닉이 앉는다.) (마사에게) 그리고 당신, 예쁜이, 당신은 게임도 하고 재미도 보고 싶은 거잖아, 안 그래? 자기 옛날부터 좀 놀았지?

마사 (조용히, 체념하여) 그래, 조지. 좋아.

조지 (둘 다 겁먹은 것을 보고 기분 좋게 그르렁거린다.) 조오오오아. 조오오오았어. (주변을 둘러본다.) 그렇지만, 전원 참석이 아니군. (닉에게 손가락으로 두어 번 튕긴다.) 너, 너……어…… 자네. 자네 귀여운 아내가 없는데.

닉 이봐요. 아내는 힘든 밤을 보내고, 지금은, 화장실에 있어요, 지금 아내는…….

조지 으음, 전원 참석 없이는 게임을 할 수가 없어. 그래야 해. 우린 자네 아내가 필요해. (복도를 향해 돼지 새끼를 부르듯) 두우두우! 두우두우!

닉 (마사가 신경질적으로 낄낄대자) 그만해요!

조지 (획 돌아서 닉을 마주 대하며) 그럼 엉덩이 떼고 가서 술꾼을 데리고 오든가. (닉이 움직이지 않자) 자, 강아지, 가. 가서 물어 와, 귀여운 강아지.

(닉이 일어나 뭔가 말하려고 입을 벌리다가 생각을 고쳐 퇴장한다.)

게임이 하나 더 남았어.

마사 (닉이 가자) 예감이 안 좋은데.

조지 (놀라울 정도로 부드럽게) 뭔지는 알아?

마사 (청승맞게) 아니. 하지만 안 좋아.

조지 좋아할지도 몰라, 마사.

마사 싫어.

조지 아, 정말 재밌는 게임이야, 마사.

마사 (호소하듯) 게임 그만하자.

조지 (조용히 의기양양하게) 하나만 더, 마사. 하나만 더하고 나서 코할 거야. 모두 다 짐을 싸서 챙겨 들고 집에 가면 돼. 그리고 당신과 나는 익숙한 계단을 걸어 2층으로 올라가면 되지.

마사 (거의 눈물을 흘릴 지경으로) 안 돼, 조지. 안 돼.

조지 (달래듯) 해야 해, 자기야.

마사 안 돼, 조지, 응?

조지 알아채기도 전에 끝이 날 거야.

마사 안 돼, 조지.

조지 조지와 익숙한 계단을 걸어 올라가기 싫다고?

마사 (졸린 아이처럼) 게임은 이제 그만…… 제발. 난 이 게임 싫어. 더 이상 게임 그만.

조지 아아, 틀림없이 좋아하게 될 거야, 마사…… 자긴 게임을 하도록 타고난 여자거든.

마사 추악한 게임들…… 추악해. 그러고도 새로운 걸 또 하자고?

조지 (마사의 머리칼을 톡톡 두드리며) 좋아하게 될 거야, 자기.

마사 싫어, 조지.

조지 멋진 시간을 갖게 될 거야.

마사 (부드럽게, 조지를 만지려고 한다.) 제발, 조지, 게임 그만해. 나는…….

조지 (마사의 손이 움직이는 것을 거칠게 때린다.) 건드리지 마! 그 손은 애송이들에게나 쓰시지!

마사 (외마디 비명, 약하게.)

조지 (마사의 머리채를 잡고 머리를 뒤로 젖히며) 자, 이제 내 말 들어, 마사. 넌 멋진 저녁 시간을 보냈어……. 상당히 즐거운 밤을 보냈는데 혼자 피 칠갑으로 신났다고 그만하겠다는 건 안 되지. 우리는 계속할 거고 난 당신과 한판 할 거야. 오늘밤 당신 모습을 부활절 축제 행렬처럼 보이게 해 주지. 이제 좀 긴장하시는 게 좋을 걸. (다른 손으로 가볍게 마사를 때린다.) 힘 좀 내시지. (다시 때린다.)

마사 (버둥거리며) 그만해!

조지 (다시 때린다.) 정신 차려! (다시 때린다.) 배에 힘주고 단단히 서서 싸워. 내가 때려눕혀 줄 테니까. 태세가 되어 있어야 할 거 아냐. (다시 때린다. 뿌리치듯이 놔 준다. 마사 일어선다.)

마사　좋아, 조지. 원하는 게 뭐야, 조지?
조지　정정당당 한판 승부야, 자기야. 그뿐이야.
마사　그렇게 해 주지!
조지　열 받아 봐.
마사　**열 받았어!**
조지　더 열 받아 봐!
마사　**그 점은 걱정 마셔!**
조지　좋았어, 자기야. 이제 어디 끝까지 가 보자.
마사　너나 잘해!
조지　깜짝 놀랄걸. 자, 여기 가신다, 준비됐나.
마사　(왔다 갔다 하는데, 싸움꾼같이 보이기도 한다.) 준비됐어.

(닉과 허니 재등장. 닉은 허니를 부축하고 있고 허니는 여전히 브랜디 병과 술잔을 들고 있다.)

닉　(불만스런 목소리로) 왔어요.
허니　(명랑하게) 폴짝폴짝.
닉　자기가 토끼야, 허니? (허니 크게 웃고 앉는다.)
허니　난 토끼야, 자기야.
조지　(허니에게) 자, 어디, 우리 토끼 어떠신가?
허니　토끼 좋아! (다시 웃는다.)
닉　(숨을 죽여 삼키며) 제기랄.
조지　토끼 좋아? 장하다, 토끼!
마사　제발, 조지!
조지　(마사에게) 허니는 좋은 토끼! (허니가 깍깍거리며 웃는다.)

닉 이런 젠장…….

조지 (손뼉을 한 번 치며) 좋아! 가자! 마지막 게임이야! 모두 앉아. (닉이 앉는다.) 마사, 앉아. 이건 세련된 게임이거든.

마사 (주먹을 불끈 쥐지만 날리지는 않은 채)
(앉는다.) 계속하셔.

허니 (조지에게) 난 아무것도 기억하지 않기로 작정했어. (닉에게) 안녕, 자기.

조지 응? 뭐라고?

마사 날이 새려고 해……. 젠장…….

허니 (아까와 마찬가지로) 난 아무것도 기억하지 않아, 당신도 아무것도 기억하지 않아. 안녕, 자기.

조지 너 뭐라고?

허니 (아까와 마찬가지로)
(목소리에 날선 느낌) 말했잖아. 아무것도. 안녕, 자기.

조지 (허니에게, 닉을 가리키며) 얘가 자기 남편이란 건 알지, 응, 그렇지?

허니 (위엄을 차리며) 아, 물론 그런 건 알지.

조지 (허니의 귀에 가까이 대고) 기억할 수 없는 몇 가지가 있다는…… 그런 말이지?

허니 (무마하려고 크게 웃고, 조지에게 조용하고 강하게) 기억하지 않는다고 했잖아, 못하는 게 아니라. (닉에게 명랑하게) 안녕, 자기.

조지 (닉에게) 자, 자네 귀여운 토끼, 귀여운 아내에게 대답 좀 하시지, 제발.

닉 (나직하게, 민망해하며) 안녕, 허니.

조지　오오, 멋졌어. 우리 정말…… 멋진 저녁을 보낸 것 같아……. 제반 사항을 고려해 볼 때…… 모여 앉아 서로를 알게 되었고 재미있는 게임도 몇 가지 했고……. 마룻바닥에 꼬부리고 누워 있기도 했고, 이를테면…….

허니　……타일이야.

조지　……타일……. 에라, 꽃이다.

허니　……병에 붙은 라벨도 벗기고…….

조지　……뭘…… 벗긴다고?

마사　라벨. 라벨도 벗기고.

허니　(변명 조로, 브랜디 병을 들어 보이며) 난 라벨을 벗겨.

조지　우린 모두 라벨을 벗겨, 자기야. 세 가지 층의 피부를 지나 근육을 통과해 조직 옆 체액과 (닉을 보며) 조직도 여전히 체액이긴 하지, (다시 허니에게) 그리고 뼈에 도달하지……. 그 다음엔 어떻게 하는지 알아?

허니　(매우 관심을 보이며) 몰라요!

조지　뼈에 도달해도 아직도 다 간 게 아니지. 뼈 안에 여전히 뭔가 들어 있거든……. 골수…… 그게 우리가 목표로 하는 거야. (마사에게 기묘한 미소를 짓는다.)

허니　아! 알겠어요.

조지　골수. 하지만 뼈는 상당히 탄력성이 있거든. 특히 젊으면. 자, 이제 우리 아들 얘기로 가서…….

허니　(낯설다는 듯) 누구요?

조지　우리 아들…… 마사와 나의 작은 기쁨!

닉　(카운터로 움직이며) 한잔해도 될지……?

조지　그래, 그래. 얼른 한잔하셔.

마사 조지…….

조지 (지나치게 친절하게) 응, 마사?

마사 대체 뭐 하는 짓이야?

조지 왜 여보, 우리 아이에 대해 얘기하고 있잖아.

마사 하지 마.

조지 우리 마사 멋지지 않아? 자, 우리 아들이 집에 오는 전날, 우리 아들이 스물한 살이 되는 생일 전야, 성년이 되는 전야인데…… 마사는 그 얘기를 하지 말라는군.

마사 제발…… 하지 마.

조지 하지만 마사, 난 해야겠어! 우리가 그 애에 대해 얘기하는 것은 매우 중요한 일이야. 저기 토끼와 그…… 뭐인지 모를 그 남편은…… 우리 아이에 대해 잘 모르잖아. 알아야 될 거 아냐.

마사 제발…… 하지 마.

조지 (닉을 향해 손가락을 튕긴다.) 어이. 이봐, 거기! 아이 꺼내기 놀이하고 싶지, 그렇지!

닉 (무뚝뚝하게) 나한테 손가락을 튕긴 거요?

조지 그래. (지시 조로) 자네는 우리 쌩쌩한 아들 얘기 듣고 싶지.

닉 (사이, 짤막하게) 예. 그럼요.

조지 (허니에게) 그리고 자기도? 자기도 우리 아들 얘기 듣고 싶잖아.

허니 (못 알아들은 척) 누구?

조지 마사와 나 사이에 난 아들.

허니 (신경질적으로) 아, 애가 있었어요?

(마사와 닉이 불편하게 웃는다.)

조지 아, 그럼. 있지! 마사, 당신이 얘기할래, 아니면 내가 할까? 응?

마사 (조롱에 가까운 미소를 지으며) 하지 마, 조지.

조지 좋아. 자, 그럼, 어디 보자. 우리 애는 정말 괜찮은 애야. 가정은 엉망으로 돌아가지만. 생각해 봐, 마사처럼 이러고 다니는 집에서라면 애들이 신경쇠약에 걸리지 않겠냐고. 오후 4시까지 퍼질러 자질 않나, 애한테 덤벼들고, 열여섯 살이나 된 애를 목욕통에서 씻기겠다고 욕실 문을 부술 기세인 데다, 시도 때도 없이 낯선 놈들을 끌어들이지 않나…….

마사 (일어서며) **됐어. 이봐!**

조지 (짐짓 걱정하는 척하며) 마사!

마사 그만 됐어!

조지 왜, 당신이 마저 얘기하게?

허니 (닉에게) 왜 열여섯 살이나 된 아이를 씻겨 주겠다고 나서는 거지?

닉 (술잔을 쾅 내려놓으며) 오, 제발, 허니!

허니 (방백) 아니, 왜?!

조지 왜냐면 자기 새끼니까.

마사 **됐다고!**

(기계적으로, 눈물이 쏟아질 듯한 낭송.)

우리 아들. 우리 아들을 원해? 잠시 기다려.

조지 마사, 한잔할래?

마사 (청승맞게) 그래.

닉 (마사에게 다정하게) 얘기하기 싫으면…… 안 해도 돼요.

조지 누가 그래? 네가 여기서 규칙을 정해?

닉 (사이. 입술을 굳게 다물며) 아뇨.

조지 좋아, 자넨 성공할 거야. 자, 마사, 하던 대사 계속해 보셔.

마사 (멀리서) 뭐라고, 조지?

조지 (신호를 주며) "우리 아들……."

마사 좋아. 우리 아들. 우리 아들은 오늘 밤과 별다른 것 없는 9월 어느 밤 태어났어, 내일이면 이십……일…… 년이 되는군.

조지 (조용히 방백 시작하며) 봤지? 내가 말했던 대로잖아.

마사 쉽게 낳았지…….

조지 오, 마사, 아니야. 당신은 산고를 많이 겪었어……. 얼마나 고통스러워했는데.

마사 쉽게 낳았어……. 일단…… 받아들이면, 편해지지.

조지 아…… 그렇지, 나아져.

마사 쉽게 낳을 수 있었어, 일단 받아들이면, 난 젊었으니까.

조지 난 더 젊었고……. (혼자 슬며시 웃는다.)

마사 난 젊었고 아이는 건강하고 붉은 아이였어, 큰 소리로 울고 사지는 단단하고 매끈매끈하고…….

조지 ……마사는 자기가 낳는 중에 아기를 봤다고 생각하지…….

마사 ……사지는 단단하고 매끈매끈하고, 머리엔 검고 섬세한 머리카락이 가득 나 있었어, 하지만 나중엔, 나중엔 태양과 같은 황금색으로 변했지. 우리 아들.

조지 건강한 아이였어.

마사 난 아이를 원했어……. 아, 난 아이를 원했지.

조지 (마사를 재촉하며) 아들? 딸?

마사 그냥 아이! (더 조용하게) 아이. 그리고 난 내 아이를 가졌어.

조지 우리 아이지.

마사 (아주 슬프게) 우리 아이지. 우리가 길렀어……. (짧고 비탄에 잠긴 웃음소리.) 그래, 우리가 했어. 우리가 길렀다고…….

조지 테디 베어도 있고 오스트리아에서 수입한 고풍스러운 유모차에…… 보모도 없이.

마사 테디 베어도 있고 동동 떠다니는 투명한 금붕어도 있고, 애가 좀 크면서는 머리맡이 등나무 줄기로 된 푸르스름한 침대도 있었는데…… 자면서 등나무 줄기를 손으로 얼마나 붙잡았는지…… 결국…… 다 닳아 버렸지 뭐야…….

조지 ……악몽이었어…….

마사 ……꿈결에…… 우리 애는 잠을 잘 못 잤어…….

조지 …… (부드럽게 킬킬 웃으며, 못 믿겠다는 듯 고개를 저으며) ……아이고 맙소사…….

마사 ……꿈결에……. 그리고 후두염에 걸렸을 때의 침대…… 아팠을 때 방 한쪽 구석에선 반짝반짝 빛나는 주전자가 쉭쉭 소리를 내며 끓고 있었고…… 나흘이나…… 동물 모양 과자도 있었고 침대 아래에는 활과 화살도…….

조지 ……날카로운 화살 끝엔 고무마개가 달려 있었어…….

마사 ……화살 끝에, 그리고 활과 화살을 침대 아래 넣어 두었어…….

조지 왜? 왜 그랬지, 마사?

마사 ……두려워서…… 뭔가 두려워해서…….

조지 두려워했어. 그냥, 두려워했을 뿐이야.

마사 (막연하게 조지를 손짓으로 물리치며, 계속한다.) …… 그리고…… 그리고 일요일 밤엔 샌드위치를 먹었어. 토요일에는…… (신나서 회상한다.) ……토요일에는 바나나 보트를 만들었어. 껍질을 벗긴 바나나 속을 파내고 청포도 선원을 태우고, 두 줄로 태웠지, 그리고 가장자리를 돌아가며 이쑤시개로 오렌지 조각을 붙였어…… **방패였지.**

조지 노는 뭐로?

마사 (불명확) 어…… 당근이었나?

조지 아니면 칵테일 숟가락이던가, 뭐든 쉬운 걸로.

마사 아냐. 당근이었어. 아이 눈은 녹색…… 녹색인데…… 깊이 들여다보면…… 아주 깊이…… 청동빛이 있었어……. 홍채 주변으로 청동색이 감돌았어……. 굉장한 녹색 눈이었지!

조지 ……푸른색, 녹색, 밤색…….

마사 ……아이가 태양을 어찌나 좋아하던지! ……다른 사람들보다 먼저 타고 훨씬 늦게까지 갔어……. 햇빛 속에서 머리카락이…… 황금 양털 같았어.

조지 (따라하며) ……황금 양털…….

마사 ……정말 예쁜 아이였어.

조지 주여, 죄악의 모든 굴레로부터 떠난 성도들의 영혼을 사하소서.*

마사 ……학교…… 여름 캠프…… 썰매 타기…… 수영…….

조지 또한 주님의 은총으로, 심판을 피하도록 해 주소서.*

마사 (혼자 웃으며) ……팔 부러뜨렸을 땐 어떻고…… 얼마나 우습던지……. 아니, 아니, 엄청 아파했어! ……하지만 웃겼어……. 들판에서 처음 소를 본 거야……. 들판으로 뛰어들어 소에게 갔지, 소는 고개를 숙이고 바쁘게 풀을 뜯고 있는데 말이야……. 거기다 대고 음매 한 거지! (아까처럼 웃는다.) 거기다 음매 한 거야……. 그랬더니 그 짐승이 놀라서 머리를 휘젓고는 음매 한 거지, 세 살짜리 애한테, 애는 소스라치며 달렸어, 그러다 굴렀지……. 넘어져서…… 그래서 팔이 부러진 거야. (아까처럼 웃는다.) 불쌍한 우리 아들.

조지 그리고 영원한 빛의 기쁨을 누리게 하소서.*

마사 조지는 울었어! 어쩔 줄 몰라서…… 조지가…… 울었어. 내가 불쌍한 우리 아들을 데리고 갔지. 조지는 내 옆에서 코를 훌쩍거리고, 내가 아이를 데리고 갔어, 삼각건을 만들어 걸고…… 큰 들판을 가로질러서.

조지 천사들이 당신을 천국으로 인도하시리.*

마사 아이가 자라면서…… 자라면서…… 정말 똑똑해졌어! ……애는 우리 둘 사이에서 평등하게…… (손을 펼쳐 보인다.) ……우리가 보내는 지원과 애정과 가르침과 심지어는 사랑……을 향해 손을 뻗었어……. 그 손으로 우리 둘이 서로 방어하도록 했고…… 조지의…… 약점으로부터 우리를 보호하고…… 그리고 나의…… 어쩔 수 없는 힘으로부터…… 자신을 보호하고…… 우리를 보호하고…….

조지 그는 영원히 정의롭게 기억되며 악한 소문을 두려워하지 않을 것입니다.*

마사 너무 똑똑했어. 너무 똑똑했지.

닉 (조지에게) 그건 뭐예요? 뭐 하시는 거예요?

조지 쉿.

허니 쉿.

닉 (어깨를 으쓱하며) 알았다고.

마사 너무 예쁘고, 너무 똑똑하고.

조지 (조용히 웃는다.) 모든 진실은 상대적인 거야.

마사 사실이었어! 예쁘고, 똑똑하고, 완벽했어.

조지 엄마들은 다 그렇게 말하지.

허니 (갑자기 눈물이 글썽해서) 나도 아이를 가지고 싶어.

닉 허니…….

허니 (더 강하게) 나도 아이를 갖고 싶어!

조지 원칙적으로는 갖고 싶다?

허니 (눈물이 왈칵 나며) 나도 아이를 갖고 싶어. 나도 아기를 갖고 싶어.

마사 (방해하는 동안 꾹 참고 있다가, 사실은 별로 개의치 않고) 물론, 이런 상태, 이런 완벽함은…… 오래 가지 않았

* 진혼 미사 기도문을 외고 있다.

어. 조지와는…… 조지가 옆에 있으면 불가능하지.

조지 (다른 사람들에게) 거봐, 봤지? 딴죽 걸 줄 알았어.

허니 조용해요!

조지 (짐짓 겁먹은 체) 미안해요…… 아줌마.

닉 조용히 못 해요?

조지 (닉에게 신호를 보내며) 주께서 함께하시길.

마사 조지가 옆에 있으면 불가능해. 물에 빠진 사람은 가까이 있는 사람을 잡고 늘어지지. 조지도 애를 썼어. 하지만, 오, 맙소사, 얼마나 싸웠는지, 정말이지, 난 조지와 엄청 싸웠어.

조지 (만족한 웃음을 지으며) 아아아아.

마사 천한 것들은 더 고상한 것들을 견디지 못하지. 연약함과 불완전함은 힘과 선함과 순수함을 못 참고 난리를 쳐. 조지도 나름대로 애썼어.

조지 내가 어떻게 애썼는데, 마사? 내가 어떻게 애썼어?

마사 당신이 어떻게…… 뭐? ……아냐! 아니……. 아이가 자랐어……. 우리 아이가 컸……지. 성인이야 이제. 대학에 가 있어. 아이는 별 일 없고 모든 게 다 별 일 없어.

조지 (짐짓) 에이, 그러지 말고, 마사!

마사 아니. 그게 다야.

조지 잠깐만! 자기야, 이야기를 그런 식으로 끝맺어 버리면 안 되지. 시작을 했으니…… 끝을 내야지!

마사 안 돼!

조지 그래, 그럼 내가 하지.

마사 안 돼!

조지 자, 우리 마사는 잘 해 나가다가 멈춰 버리네……. 약간 힘든 시기가 오니까. 자, 우리 마사는 오해받았어, 정말 그래. 남편이 막장 인생이라서가 아니라…… 물론 연하에 막장이기도 하지만…… 그저 막장 인생 남편 때문이 아니라 사소한 음주 문제도 약간 있거든, 밑 빠진 독이라서…….

마사 (기운 없이) 그만해 둬, 조지.

조지 ……거기다 이 오해받는 여자는, 자기 딸이 죽었는지 살았는지 신경도 안 쓰는 아버지에, 무남독녀 외동딸에게 당최 신경도 안 쓰지. ……게다가 이 여자 아들도 하나 있어. 아들이 사사건건 싸움을 걸어, 제 아비에게 맞서 주었으면 좋겠는데 그것도 안 해, 마사가 원하는 대로 되지 않을 때면 마음대로 휘두를 무기 노릇을 안 해!

마사 (벌떡 일어서며) 거짓말! 거짓말!!

조지 거짓말? 그래, 좋아. 자기 아버지와 의절하지 않고, 아버지에게 충고와 정보를 얻으려 하고, 병적인 사랑이 아닌 진짜 사랑을 아버지에게 찾고…… 내 말이 무슨 말인지 알걸, 마사! ……**어머니**라고 불리는 잔혹하고 시끄러운 쓰레기와 맞서 싸우는 아들! **어머니라고? 좋아하시네!!**

마사 (냉담하게) 그래, 좋아. 아버지가 너무 부끄러웠던 아들이 어느 날 내게 물었어……. 못된 아이들이 그러던데, 정말, 우리 부모님 맞느냐고, 너저분한 실패자가 된 아버지를 견딜 수 없었던 게지…….

조지　거짓말!

마사　거짓말? 아들은 여자 친구를 집에 데리고 오려 하지도 않았어…….

조지　……어머니가 부끄러워서…….

마사　……아버지가 부끄러워서! 내게만 편지를 썼어!

조지　하, 멋대로 생각하셔! 내게! 내 연구실로 썼거든!

마사　거짓말!

조지　편지가 한 다발이야!

마사　**편지 같은 거 없으면서!**

조지　당신은 있어?

마사　저인 편지 따위 받은 적 없어. 아들은…… 아들은 여름이면 집에서 멀리 떨어져 보내곤 했어……. 가족과 떨어져서…… **어떤 구실을 대서라도**……. 아비란 인간이 집 주변을 어슬렁거리는 걸 견딜 수 없었거든…….

조지　……여름을 멀리서 보내곤 했어……. 그랬지! ……왜냐면 집은 빈 병으로 가득 차서 있을 곳이 없었거든. 빈 병, 거짓말, 낯선 남자들, 그리고 마귀 할망구…….

마사　거짓말!!

조지　거짓말?

마사　……우리 아들은 내가 최선을 다해 역경에 맞서…… 썩어 빠진 나약함과 비열한 복수에 맞서 키웠어…….

조지　……우리 아들은 마음속 깊은 곳에서 태어난 걸 후회하고 있었지…….

(둘이 동시에)

마사 난 애썼어, 오, 세상에, 난 애썼다고. 이 진창 같은 결혼 생활 속에서 순수하게 보호하고 싶은 한 가지였으니까. 속이 뒤집히는 밤이나 청승맞고 멍한 날들, 조롱과 웃음거리가 되는 것을 무릅쓰고라도……. 맙소사, 실패에 실패가 이어지면서 실패는 점점 더 깊어지고 더 병적으로 되어 가고 더 무감각해져 갔어. 비웃음만 이어졌지. 사악하고 잔인한 결혼 생활의 수렁 속에서 난 오직 걔 하나는 보호하고 키우고 싶었어……. 이 모든 칠흑 같은 절망 속에서 단 하나의 빛이었던…… **우리 아들.**

조지 오, 주여. 그 두려운 날에 영원한 죽음에서 저를 구하소서. 하늘과 땅이 움직일 그날, 주께서 불로 이 세상을 심판하실 그날, 저는 두려워 떨며 심판이 우리에게 떨어질, 다가오는 분노의 날을 기다립니다. 하늘과 땅이 움직일 그날, 그날, 분노와 재앙과 고난의 그날, 차마 끔찍한 비통의 그날, 주께서 불로 이 세상을 심판하실 그날을.*

* 진혼 미사 기도문을 외고 있다.

(동시에 끝낸다.)

허니 (손으로 귀를 막으며) **그만!! 그만!!**

조지 (손시늉을 하며) 주여, 우리를 불쌍히 여기소서. 그리스도여, 우리를 불쌍히 여기소서. 주여, 우리를 불쌍히 여기소서.

허니 **제발 그만!!**

조지 왜 자기야? 이거 싫어?

허니 (히스테릭하게) 이러면…… 안…… 되죠!

조지 (의기양양하게) 누가 그래!

허니 내가! 그래요!

조지 왜 안 되는지 말해 봐, 자기.

허니 안 돼!

닉 게임은 끝났나?

허니 그래! 그래, 끝났어.

조지 허허! 아직은 어림도 없지. (마사에게) 깜짝 선물이 있다고. 우리 아들 짐에 대한 얘기야.

마사 그만해, 조지.

조지 **할 거야!**

닉 제발 내버려 둬!

조지 **내가 이 게임의 왕이야!** (마사에게) 자기야, 사실 안 좋은 소식이야…… 물론, 우리 둘 다에게. 좀 슬픈 소식이라고.

(허니가 손으로 머리를 싸고 울기 시작한다.)

마사 (두렵고 의심에 차서) 뭔데?

조지 (매우 끈기 있게) 뭐냐 하면, 여보, 당신이 여길 나갔을 때…… 둘이 같이 여기를 나갔을 때…… 뭐, 나야 모르지만, 하여튼 둘이 어딘가로 갔을 때…… (짧게 웃고) ……당신네 둘이서 꽤 오래 여길 비웠을 때…… 여기 새댁과 내가 얘기하면서 앉아 있을 때, 수다를 떨고 있을 때…… 초인종이 울리고…….

허니 (머리를 여전히 두 팔로 감싸고) 차임벨이야.

조지 차임벨이 연주되고…… 그리고 아, 말하기 힘들군, 마사…….

마사 (기묘하게 목구멍에서 나오는 소리로) 말해.

허니 제발…… 관둬요.

마사 말해.

조지 ……그게…… 뭐였냐면…… 웨스턴 유니언에서 나온 칠십 먹은 전보 배달원이었어.

마사 (몰입하여) 빌리 영감?

조지 그래, 마사, 맞아…… 빌리 영감……. 우리 둘에게 온 전보를 가지고 있었는데, 그 얘기를 이제 해야겠군.

마사 (마치 멀리 있는 듯) 왜 전화를 하지 않았을까? 왜 전보로 가지고 왔을까, 왜 전화로 하지 않고?

조지 어떤 전보는 직접 전달해야 되잖아, 마사. 어떤 전보는 전화로 할 수가 없어.

마사 (일어나며) 무슨 말이야?

조지 마사…… 차마 입이 떨어지지 않는군…….

허니 하지 마세요.

조지 (허니에게) 네가 할래?

허니 (벌떼의 공격을 피하려는 것처럼) 아니 아니 아니 아니 아니.

조지 (깊은 한숨을 쉬며) 좋아. 저기, 마사…… 우리 아이가 이번 생일에는 못 온다는군.

마사 온다니까.

조지 아니, 마사.

마사 온다고. 온다니까!

조지 못…… 와.

마사 와! 내가 알아!

조지 마사…… (오래 멈췄다가) ……우리 아들이…… 죽었대.

(침묵.)

늦은 오후에…… 아이가…… 죽었대…….

(침묵.)

(짧게 웃고) 시골길에서, 운전 연수하다가, 고슴도치를 만나서, 급커브를 돌았는데, 곧바로…….

마사 (불같은 분노로) **어떻게…… 그런…… 말을!**

조지 ……큰 나무를 들이받았어.

마사 **그런 말을 하다니!**

닉 (부드럽게) 오, 맙소사. (허니가 더 크게 흐느낀다.)

조지 (조용히 덤덤하게) 당신이 알아 둬야 하지 않겠어.

닉 오, 맙소사, 안 돼.

마사 (분노와 상실감으로 몸을 떨며) **안 돼! 안 돼! 이럴 수 없어! 너 혼자 그렇게 해 버리면 안 되지! 그렇게 둘 수는 없어!**

조지　정오쯤에는 출발해야 할 것 같아, 내 생각엔…….

마사　**너 혼자 이런 일들을 정하게 놔둘 수 없어!**

조지　……신원 확인이나 다른 절차들이 있으니까…….

마사　(조지에게 덤벼들지만 별 효과는 없다.) **네가 내게 이럴 순 없어!**

(닉이 몸을 일으켜 마사를 붙잡아 팔을 등 뒤로 돌린다.) **이렇게 가만히 당하진 않을 거야! 내 몸에서 손 떼!**

조지　(닉이 붙잡고 있는 동안 마사의 얼굴 바로 앞에서) 무슨 말인지 못 알아듣는 눈치로군, 마사. 내가 뭘 한 게 아냐. 자, 정신차려. **우리 아들이 죽었어!** 알아들었어?

마사　**너 혼자 이렇게 하면 안 돼!**

닉　부인, 제발.

마사　**놔 봐!**

조지　들어 봐, 마사. 잘 들어 봐. 전보가 왔어. 차 사고가 나서 아들이 죽었어. **픽!** 골로 갔다고! 자, 어때?

마사　(부르짖음이 신음으로 바뀐다.) **아니야아**아아.

조지　(닉에게) 풀어 줘. (마사가 바닥에 털썩 주저앉는다.) 괜찮을 거야.

마사　(청승맞게) 안 돼, 안 돼. 안 죽었어. 안 죽었다고.

조지　죽었어. 주여, 우리를 불쌍히 여기소서. 그리스도여, 우리를 불쌍히 여기소서. 주여, 우리를 불쌍히 여기소서.

마사　이럼 안 돼. 혼자 이렇게 결정할 순 없는 거잖아.

닉　(마사에게 몸을 기울이며 다정하게) 남편이 뭘 결정한 게 아닙니다, 부인. 남편이 한 게 아니에요. 그럴 힘이 없어요…….

조지　맞아, 마사. 난 신이 아니야. 생사를 좌우할 힘이 없어, 안 그래?

마사　**그 애를 죽이면 안 돼! 그 애를 죽게 놔두면 안 돼!**

허니　부인…… 제발…….

마사　**그럼 안 돼!**

조지　전보가 왔다니까, 마사.

마사　(일어나 그를 마주 대한다.) 보여 줘! 나에게 그 전보를 보여 줘!

조지　(긴 침묵, 정색하며) 먹어 버렸어.

마사　(사이, 영 못 믿겠다는 듯 히스테릭한 기색으로) 뭐라고?

조지　(웃음이 비어져 나오는 얼굴로) 내가…… 먹어…… 버렸어.

(마사가 그를 오랫동안 바라보다가 얼굴에 침을 뱉는다.)

조지　(미소 띠며) 잘했어, 마사.

닉　(조지에게) 이런 상황에서 부인을 이렇게 대접해도 되는 겁니까? 그런 치사한 농담이나 하고? 예?

조지　(허니에게 손가락을 딱 튕기며) 내가 전보를 먹었나, 안 먹었나?

허니　(겁에 질려) 먹었어요. 그래, 먹었어. 내가 봤는데…… 보고 있었는데…… 댁이…… 꿀꺽 삼켜 버렸어요.

조지　(대사를 일러 준다.) ……마치 착한 아이처럼.

허니　……마치…… 차……착한 아이처럼……. 네.

마사　(조지에게 냉정하게) 그런 식으로 벗어날 순 없어.

조지　(역겹다는 듯) **게임의 법칙을 알잖아, 마사! 젠장, 법칙을**

모르냐고!

마사 **몰라!**

닉 (직면할 수 없는 무언가를 이제야 깨달은 표정으로) 두 분 무슨 얘기하시는 겁니까?

조지 내가 원하면, 마사, 죽일 수 있어.

마사 **그 앤 우리 아이야!**

조지 아 그럼, 당신이 낳았지……. 쉽게…….

마사 **우리 아이야!**

조지 **그리고 내가 죽인 거야!**

마사 **아냐!**

조지 **맞아!**

(긴 침묵.)

닉 (매우 조용하게) 알 거 같아.

조지 (위에서처럼) 그래?

닉 (위에서처럼) 제기랄, 알 거 같아.

조지 (위에서처럼) 장하다, 똘똘이.

닉 (험악하게) **제기랄, 이제야 알 거 같다고!**

마사 (엄청난 슬픔과 상실감으로) 당신은 이렇게 할 자격이 없어…… 당신은 이럴 자격이 전혀 없어…….

조지 (부드럽게) 난 자격이 있어, 마사. 우린 결코 그 얘기를 한 적이 없어. 그뿐이야. 난 원한다면 언제든 그 아이를 죽여 버릴 수 있어.

마사 하지만 왜? 왜?

조지 당신이 먼저 우리 규칙을 깼잖아, 여보. 당신이 아이 얘기를 했어……. 당신이 남들에게 아이 얘기를 했어.

마사 (울음을 터뜨릴 듯) 그런 적 없어. 안 그랬어.

조지 그랬어, 여보.

마사 누구? **누구에게**?

허니 (흐느끼듯) 내게요. 나에게 아이 이야기를 했어요.

마사 (흐느끼듯) **잊어버렸어**! 가끔…… 가끔 밤이 되어 아주 늦은 시각이 되면…… 다들…… 다들…… 얘기를 하고 있으면…… 난 잊어버리고…… 아이 얘기를 하고 싶어져……. 하지만…… 난 참지……. 참아……. 하지만 너무 자주…… 그러고 싶었어……. 오, 조지, 당신이 그렇게 부추겼어……. 그럴 필요는 없었는데……. 이럴 필요는 정말 없었어. 내가 아이 얘기를 했다고……. 그래, 좋아……. 하지만 **이렇게까지** 몰고 갈 필요는 없었어. 당신은…… 아이를 죽일 것까지는 없었어.

조지 영면하기를.

허니 아멘.

마사 아이를 죽게 할 것까지는 없었어, 조지.

조지 영원한 안식을 허락하소서, 오, 주여.

허니 그리고 영원한 빛으로 그들을 비추소서.

마사 그럴 필요는…… 없었어.

(긴 침묵.)

조지 (나직하게) 곧 날이 샐 거야. 파티는 끝났어.

닉　　(조지에게 조용히) 전혀 가질 수 없었……나요?

조지　전혀.

마사　(서로 통하는 듯한 느낌으로) 전혀.

조지　(닉과 허니에게) 집에 가서 자렴, 아이들아. 잠잘 시간이 한참 지났구나.

닉　　(손을 뻗어 허니에게) 허니?

허니　(일어나 닉에게 가며) 그래.

조지　(마사는 이제 의자 옆 바닥에 앉아 있다.) 둘 다 잘 가렴.

닉　　네.

허니　네.

닉　　저기…….

조지　잘 자게.

닉　　(사이) 안녕히 주무세요.

(닉과 허니 퇴장. 조지가 문을 닫는다. 방을 둘러본다. 한숨을 쉬고 술잔을 한두 개 주워 들고 카운터로 가져간다.)

(이 모든 마지막 장면은 아주 부드럽게, 아주 천천히 진행된다.)

조지　마사, 뭐 마실래?

마사　(여전히 외면한 채로) 아니……. 싫어.

조지　그래. (사이) 잠잘 시간이야.

마사　그래.

조지　피곤하지?

마사　으응.

조지　나도.

마사　그래.

조지　내일은 일요일이야. 종일.

마사　그러게.

(둘 사이 긴 침묵.)

당신…… 당신…… 그래야만 했어?

조지　(사이) 응.

마사　그래……? 정말?

조지　(사이) 응.

마사　모르겠어.

조지　그럴 때가…… 됐어.

마사　그래?

조지　응.

마사　(사이) 추워.

조지　시간이 늦었어.

마사　응.

조지　(긴 침묵) 나아질 거야.

마사　(긴 침묵) 글쎄…… 잘.

조지　나아질 거야…… 아마도.

마사　난…… 잘…… 모르겠어.

조지　모르겠지.

마사　우리…… 둘만?

조지　응.

마사　내 생각엔, 어쩌면, 우리…….

조지　아냐, 마사.

마사　그래. 아니겠지.

조지　괜찮아?

마사　응. 아니.

조지　(어깨에 다정하게 손을 얹는다. 마사는 고개를 뒤로 젖히고 조지가 부드럽게 노래를 불러 준다.) 누가 두려워하랴, 버지니아 울프

버지니아 울프

버지니아 울프,

마사　내가…… 두려워해…… 조지…….

조지　누가 두려워하랴, 버지니아 울프…….

마사　내가…… 조지…… 내가…… 두려워…….

(조지가 천천히 고개를 끄덕인다.)

(침묵, 그대로 멈춘 채.)

(막)

작품 해설

미국의 꿈에 꽃을 던져라

— 오만불손 가족극 『누가 버지니아 울프를 두려워하랴?』

우선 제목에 대한 설명부터 시작해야 하겠다. 이 제목은 디즈니 만화영화 「세 마리 아기 돼지」에 나오는 동요 「누가 두려워하랴, 커다란 나쁜 늑대를?(Who's Afraid of Big Bad Wolf?)」에서 따온 것이다. 아기 돼지들은 이 노래를 부르면서 허세를 부리다가도 늑대 기척이라도 들리면 벌벌 떨며 숨기 바쁘다. 극의 초반부터 등장인물들은 이 노래의 가사를 바꿔 부르면서 재미있어하는데, 이것은 듣는 사람들로 하여금 원래 노래의 경박한 리듬과 내용을 떠올리게 하는 데다, wolf/Woolf라는 동음이의어를 사용해 문학사의 거대한 아이콘을 '커다란 나쁜 늑대'로 치환해 놓은 것이기 때문이다. 그런데 『누가 버지니아 울프를 두려워하랴?』라는 우리말 제목으로 옮겨지면서, 이같이 우스꽝스러운 어감이 사라져 버려 적잖이 아쉽다. 올비는 어느 술집의 화장실 거울에 쓰인 낙서를 보고 이 작품의 아이디어를 얻었다고 하는데, 대학가에 나도는 재기와

치기가 어우러진 농담이 작품 제목으로 된 셈이다. 그렇다면 커다란 나쁜 늑대, 즉 버지니아 울프로 대변되는 무서움의 대상은 무엇일까?

이 작품을 처음 읽는 독자라면 그 제목이나 무대 배경이 암시하는 것과는 다르게, 점잖은 중산층 가정에서 일어나는 노골적인 언어폭력과 난장판에 적잖이 당황할 것이다. 언어로 혹은 행동으로 폭력적인 상황을 연출함으로써 인간의 존재와 소통에 대한 기존의 관습적인 생각을 흔들어 놓는 것은 올비 극의 전형적인 특징이다. 극작가 올비의 이름을 널리 알린 작품인 『동물원 이야기』는 한 남자가 다른 사람에게 진심으로 다가가기 위해 죽임을 당하는 것까지 불사하는 모습을 보임으로 당시 관객들에게 충격을 주었다. 마찬가지로 『누가 버지니아 울프를 두려워하랴?』 속 '점잖은' 대학교수 부부의 추악하고 절망적인 싸움은 미국의 이상적인 가족에 대한 고정관념을 뒤흔들어 놓았다. 이 작품은 심사위원들에 의해 퓰리처상 희곡 부문 수상작으로 결정되었으나, 퓰리처 위원회에서 "미국적 삶의 '건전한(wholesome)' 모습을 보여 주지 못한다."라는 이유를 들어 수상을 취소했다. 그 와중에 절반이 넘는 퓰리처상 희곡 부문의 심사위원이 항의 사퇴하는 촌극이 빚어진 것도 유명한 일화다.

그런데 이 같은 소동은 미국 문학계에서 이미 낯선 것이 아니었다. 성실한 가장이 중심이 되어 현모양처와 귀여운 아이들이 이루는 단란한 가정의 이미지는 2차 세계대전 이후 가장 강력한 '미국의 꿈'이었고, 이것은 안정과 합의를 바라는 정치와 광고에 널리 애용되는 이상이기도 했다. 아서 밀러의

『세일즈맨의 죽음』에서 주인공 로먼이 자신의 빛나는 과거를 그리는 회상 장면은 언제나 빨래 바구니를 옆에 낀 아내와 아버지의 귀가를 기다리는 활달한 두 아들, 그리고 반짝이는 자동차로 형상화되지 않았던가? 그러나 1949년의 이 작품에서도 이미 낌새가 보이거니와, 아이젠하워 당시(1953~1961) 미국에서는 이 같은 꿈을 회의하는 작품들이 쏟아져 나왔다. 존 업다이크의 『달려라 토끼』(1960), 리처드 예이츠의 『레볼루셔너리 로드』(1961년 작으로 2008년 샘 멘디스 감독에 의해 영화화되기도 했다.) 등의 소설은 '행복한' 중산층 가정의 공허함을 조명하는 소설이고, 『누가 버지니아 울프를 두려워하랴?』는 브로드웨이에서 미국적 이상의 허구성을 파헤친 작품이다. 올비는 겉으로 보기에 평온한 사회 속에 묵직하게 자리 잡은 환멸을 드러내 보임으로서 반항의 60년대를 예고하고 있다.

작품 속으로 들어가 보자. 주인공 조지와 마사는 미국 초대 대통령인 조지 워싱턴, 마사 워싱턴 부부와 이름이 같지만, 주말 내내 술을 마시고 서로를 괴롭히는 것으로도 모자라 손님들을 청해 혼돈의 시간을 보내다가 일요일 새벽이 되어서야 파티를 파하는 사람들이다. 이러한 인물 형상화를 위해 작가는 자신의 친구인 뉴욕 사교계의 명사 윌러드 마스와 메리 멘켄의 모습을 빌려 왔다고 한다. 대학교수인 윌러드와 실험 예술가인 메리는 금요일 오후부터 월요일 새벽까지 계속되는 파티로 악명 높았으며, 그들의 격정적이고 종잡을 수 없는 부부 관계 또한 유명했다.

작품 속에서 조지와 마사는 서로 주도권을 잡기 위해 비열

할 정도로 상대방을 비난하고 치열하게 싸우는데, 이는 미소 냉전 시대의 정치적 알레고리처럼 보인다. 이들은 상대의 능력, 인격, 과거사, 취향 등을 가리지 않고 헐뜯고 모욕을 주면서 서로의 기선을 제압하려고 든다. 그들이 거나하게 계속 술을 마시는 것은 그 기운을 빌어 상대를 까발리고, 자신의 불편한 상황으로부터 도피할 수 있는 좋은 구실이 되기 때문이다.

작품 속 소제목들도 유심히 살펴볼 필요가 있다. 1막의 제목 '재미난 게임'은 그들의 놀이가 일종의 오래된 게임이 되었음을 보여 준다. 그들은 주인장 욕보이기(Humiliate the Host), 안주인 올라타기(Hump the Hostess), 손님 잡기(Get the Guests), 아이 꺼내기(Bringing up Baby) 등으로 자신들의 놀이를 소개하고(두음을 이용한 공허한 말장난에 주목하라.) 말싸움에서 시작해 격렬한 몸싸움, 그리고 그 이상으로 발전시켜 나간다. 저급한 힘 싸움은 성적인 암시에서도 분명히 드러난다. 극 속에서 말과 행동으로 빈번히 드러내는 성적인 암시, 혹은 직접적인 성행위는 친밀감을 나타내거나 얻기 위함이 아니라 주도권을 잡거나 상대에게 상처 주기 위한 수단으로 이용된다. 그런데 이처럼 서로를 누르고 모욕하는 것에 쾌감을 느끼는 이유 아래에는 상대방에 대한 불만만큼이나 자신의 결혼이나 직업에 대한 불만이 도사리고 있다. 마사가 조지에게 가진 불만은 그가 야심이나 배짱 없이 역사학과의 한 구석을 차지하는 "얼간이" 상태로 머물러 있다는 것인데, 좀 더 따져 보면 그 불만은 자신들이 대학 설립자인 친정아버지를 만족시킬 수 없다는 절망에서 비롯되고 있다. 조지 역시 마사 속에 웅크린 어리고 상처 받은 여자아이를 알아보고 결혼했지만, 장인과 아내의 강압적이고 출세 지향적인 태도에 저항하는 가운데 점점 더 무기력해지고 있는 상황이다.

2막의 제목인 '발푸르기스의 밤'은 원래 봄이 오기 직전 마녀들이 축제를 벌이는 밤을 일컫는다. 이때는 산 자와 죽은 자의 경계가 모호해지는 시기로, 죽은 자가 무덤에서 나와 돌아다니기도 한다. 조지 — 마사의 상처와 패배의 기억은 부부가 맞대면해야 할 '죽은 것'들이다. 마치 죽었으나 완전히 죽지 않은 좀비처럼 그들의 현재 생활을 지배하는 좌절의 기억들을 없애기 위해서는, 그것들을 먼저 하나씩 꺼내 놓아야 한다. 그 과정에서 마사는 어머니 없이 아버지와 살며 그의 기대치에 맞게 살지 못했다는 좌절감에서, 조지는 어린 시절 부모에게 끔찍한 짓을 했다는 죄책감에서 벗어나지 못하고 있음이 드러난다. 또한 이들이 불임으로 아이가 없는 결혼생활 속에서, 자신들의 이루지 못한 소망과 기대를 섞어 가공의 아들을 키우고 있음도 밝혀진다. 아들 키우기 놀이는 그들 부부만의 은밀한 공동작이면서도, 살아 있지 않으면서 그들의 곁을 배회하는 좀비의 최고 결정체임에 틀림없다. 허상과 실제의 경계를 넘나드는 밤을 지내면서 조지는 자기들의 아이를 죽이기로 결심하는데, 이는 오랫동안 그들 옆을 배회해 온 귀신들을 쫓아내는 결정적 순간이 될 것이다. 3막의 제목 '귀신 쫓기'는 조지가 그들 가정 속의 해묵은 유령들을 몰아내는 부분인 것이다. 그 과정은 '아이 꺼내기'('아이를 키우다.'와 '이야기 주제를 꺼내다.'라는 의미를 모두 다 가지고 있는 bring up이라는 표현을 사용하고 있다.)라는 이름의 게임으로 묘사되는데, 그들의 환상을 처음부터 끄집어내 키워 온 과정을 이야기로 다시 풀어냄으로써 그 뿌리까지 없애고자 하는 것이다.

물론 아이를 없애 버리기로 한 조지의 결심은 마사가 밤새 자신을 모욕한 데 대한 복수심에서 비롯되었다. 그러나 그들 사이의 은밀한 장난감이었던 상상의 아이 키우기가 두 사람 사이의 일로 머물지 않고 다른 손님들 앞에 그 존재를 드러내면서, 허상은 더 이상 그냥 둘 수 없는 실체가 되어 버린 것이다. 조지는 허상과 실제 사이를 오가는 상상의 아들을 없애 버림으로써 비로소 말장난이나 트집 잡기가 아닌 진정한 대화를 나눌 수 있는 계기를 마련한다. 그러므로 그들이 밤새 격렬하게 속살을 물어뜯는 싸움을 하는 것은 이 같은 진정한 소통의 계기를 마련한다는 점에서 오히려 긍정적으로 작용한다. 그것이 봄의 제전이자 발푸르기스의 밤인 것이다. 올비의 극에서 욕설과 폭력은 기피해야 할 대상이 아니라, 불편한 진실을 열어젖히고 관계의 핵심을 드러내 보여 줄 수 있는 유용한 수단이다. 그러므로 '누가 커다란 나쁜 늑대를 두려워하랴?'라는 동요의 질문은 극 중에서 '누가 버지니아 울프를 두려워하랴?'라는 속물적인 수사 의문으로 반복되지만, 극이 끝날 때쯤이면 '누가 거짓 환상 없는 삶을 두려워하랴?'라는 묵직한 질문으로 독자와 관객에게 다가오게 된다. 그리고 극의 마지막에 마사가 말하듯이, 우리는 모두 그런 삶이 두렵다. 거짓 없고 허상 없는 삶을 두려워하지 않을 사람이 누가 있겠는가. 그러나 올비는 그 같은 질문 앞에 두 사람을 솔직한 모습으로 서게 만듦으로써 이들의 삶이 또다시 거짓 이야기로 점철되지만은 않을 것임을 암시한다.

허상과 실제 사이의 긴장 관계에 대한 탐구는 미국 현대극을 관통하는 일관된 주제라고 할 만하다. 허상은 현대 사회를 지탱하는 거대한 거짓말이다. 이데올로기와 각종 도시 괴담, 정치, 광고, 텔레비전은 갖가지 허상으로 넘쳐난다. 현대 미국 극작가들은 작품 속에서 어떤 방식으로든 이 같은 거짓말을 탐구하지 않을 수 없었다. 유진 오닐의 『밤으로의 긴 여로』는 오래된 부부 사이의 애증과 허상을, 『얼음 장수 오다』는 지리멸렬한 현실 대신 차라리 허위의식을 택하는 모습을 보여 주었다. 테네시 윌리엄스의 『욕망이라는 이름의 전차』 또한 현실을 맞대면하기보다는 거짓으로 자신을 포장하는 데 몸을 맡기는 남부 여자를 보여 주며, 앞서 언급한 아서 밀러의 『세일즈맨의 죽음』 역시 미국적 이상이라는 거대한 허구 아래 깔려 죽는 소시민을 주인공으로 한다. 올비는 허상과 실제의 긴장 관계에 대한 꾸준한 탐구를 보여 준다는 점에서 오닐, 윌리엄스, 밀러 다음으로 미국 극의 계보를 잇는 지극히 미국적인 극작가라 할 수 있다. 『누가 버지니아 울프를 두려워하랴?』는 오닐과 밀러의 가족극과 같은 주제를 가지고 있으며, 윌리엄스의 표현들을 일부 그대로 작품 속에 삽입함으로써(작품 후반부의 장례식을 위한 꽃놀이가 그 대표적인 예다.) 선배 극작가들에 대한 경의를 표하고 있다.

그러나 끝까지 팽팽한 긴장을 놓지 않고 지루할 만큼 어둠 속으로 깊이 들어가는 오닐의 가족극에서는 어떤 긍정이나 부정도 선불리 말하기 힘들고, 윌리엄스나 밀러도 대표작을 통해 비극적인 결말을 보여 주는데 반해, 올비는 긴 밤을 겪고 다시 새벽을 맞이하는 결말을 통해 소통의 가능성을 분명하게 보여 준다.

조지와 마사 부부는 실제와 허상의 문제에 대해 계속 싸움을 건다는 점에서 극 중 젊은 부부인 닉과 허니보다 더 긍정적이라고 할 수 있다. 극이 진행되면서 닉과 허니 또한 서로 드러내 놓아야 할 문제점이 많다는 사실이 밝혀진다. 하지만 허니는 드러내고 싸우기보다 브랜디를 연거푸 마시고 속이 안 좋다는 핑계로 화장실 가는 행위를 되풀이하면서 자신들의 문제를 묻어 버리며, 자신만만하고 잘생긴 젊은 학자 닉 또한 자신의 미래와 야망을 위해 문제들을 외면한다. 생물학자 닉이 대변하는 것은 염색체 재배열로 자기처럼 잘생기고 멋진 남자들만 생산해 내는 "멋진 신세계" 같은 미래 사회이다. 조지는 극 중에서 얼간이, 막장 인생 등으로 사정없이 모욕을 당하지만, 그는 예측 불가능성과 다양성을 옹호하는 인간 중심적 가치의 수호자이다. 지금은 그러한 고전적 가치가 점점 위협받는 시대이기에 조지는 왜소한 불능의 상태에 머물러 있고 점점 더 그렇게 될 것이 확실해 보임에도, 미래의 주인공 닉과 끝까지 싸우겠다며 적대감을 불태운다. 자신이 볼품없는 인간일지언정 획일적이고 효율적인 자동화 시스템의 미래 세상은 그가 원하는 바가 아니다. 그가 사수하고자 하는 "베를린"은 세상의 쓸모나 효용 가치와는 거리가 멀지만 느리고 편안한 세상을 상징한다.

작가는 매우 사실주의적인 무대 위에서 인간이 어떻게 할 수 없는 상황과 그 속에서 겪는 소외와 환멸, 그리고 소통하고자 하는 노력을 담는다. 그것이 삶의 무의미함과 허망함을 여과 없이 보여 준다는 점에서 부조리극이라고 부르기에 부족함이 없지만, 그 부조리함은 현실적인 문제에서 비롯되었기에 시작이 있고 따라서 끝도 있을 것임을 암시한다. 이러한 점에서 이 작품은 유럽의 부조리극과는 다른 미국적인 특성을 보여 준다고 하겠다. 시작도 끝도 없이 오직 무언가를 기다리는 것 이외의 행위가 허락되지 않는 『고도를 기다리며』를 상기해 보면, 긍정이나 희망을 이야기한다는 것조차 무의미한 유럽 부조리극과 이 극의 차이가 더욱 선명해질 것이다. 『누가 버지니아 울프를 두려워하랴?』에서 조지와 마사의 부부싸움은 더할 나위 없이 폭력적이고 과격하지만, 그것은 바로 그들이 화해와 애정의 끈을 놓지 않았음을 반증한다. 끝까지 소통의 기회를 저버리지 않고 가능성을 보여 준다는 점이 올비 극의 특징이다. 작가는 이 작품이 죽음과 삶에 대한 관심에서 비롯하였으며, 궁극적으로 조지와 마사의 사랑 이야기라고 말한다. 그러므로 이 작품은 미국의 꿈이라는 허상에 대한 지독한 비판이면서도, 인간관계 속의 소통을 끈질기게 희망하는 미국적 낙관주의가 지배하는 드라마라고 할 수 있을 것이다.

2010년 5월

강유나

작가 연보

1928년 3월 12일 버지니아 주(워싱턴 DC라는 설도 있음.)에서 출생. 본명은 에드워드 하비(Edward Harvey)였으나, 생후 두 주 만에 뉴욕 주 라치몬트의 리드 A. 올비에게 입양되어서 에드워드 프랭클린 올비 3세(Edward Franklin Albee III)로 부유하게 성장. 19세기부터 미국 전역에 극장들을 소유해 온 양아버지의 집안은 보드빌(노래와 춤이 섞인 촌극)과 순회 극단, 영화의 세기를 거친, 미국 연극계의 산증인이었음. 올비는 어릴 때부터 극장과 연극을 접하면서 일찌감치 극예술에 대한 열망을 싹틔웠으나, 양부모는 올비가 좀 더 보수적이고 상류사회에 어울릴 만한 전문 직종을 가질 것을 요구하여 불화가 잦았음. 양부모와의 화목하지 못한 관계는 양어머니의 모친인 코터 할머니에게서 충족. 코터 할머니는 올비가 자급자족하며 작품 활동을 할 수 있도록 기금을 남겨 주었고, 올비는 1960년 작 『모래 상자(The Sandbox)』를 코터 할머니에게 헌정.

1945년 뉴욕과 뉴저지의 여러 학교를 제대로 끝맺지 못하고 전전하다 17세에 펜실베이니아 주 웨인에 위치한 밸리포지 기숙 사관학교를 졸업.

1947~1948년 코네티컷 주 하트포드에 있는 트리니티 신학대학에서 수학하였으나, 출석 불량에 예배 소홀을 이유로 1947년 퇴학당함. 이곳은 이후 『누가 버지니아 울프를 두려워하랴?(Who's Afraid of Virginia Woolf?)』의 무대가 된 것으로 추측됨.

20세에 양부모와 결별하고 뉴욕 그리니치빌리지에 정착해 웨스턴 유니언의 전보 배달원 등 다양한 직종을 전전하면서 극작 활동. 시, 소설 등의 다양한 문학 장르에 손을 대다가 극작가 손턴 와일더에게 희곡에 집중하라는 충고를 들음.

1958년 30세 생일에 웨스턴 유니언을 그만두고 세 주 동안 『동물원 이야기(The Zoo Story)』 완성. 뉴욕 연출가들에게 퇴짜를 맞고, 1959년 베를린 실러 극장에서 초연. 네 달 후 사뮈엘 베케트 작 「크랩의 마지막 테이프(Krapp's Last Tape)」와 함께 그리니치빌리지의 프로빈스타운 극장에서 동시 상연, 호평을 얻고 1960년 버넌 라이스 기념상을 획득. 『동물원 이야기』는 떠버리 노숙자가 공원 벤치에서 만난 관습적인 가장에게서 폭력적인 행동을 이끌어

내는 단막극으로, 이 극을 통해 올비는 "인간소외에 대한 냉정한 관찰자"라는 평가를 받음.
이후 『모래 상자』와 『미국의 꿈(The American Dream)』 같은 단막극을 통해 유럽의 부조리극을 미국 극단에 전파했으며, 당시 싹트고 있던 오프브로드웨이 운동의 지도자로 떠오름. 1960년대 들어 인종 차별에 대한 단막극 『베시 스미스의 죽음(The Death of Bessie Smith)』, 카슨 매컬러스의 소설을 번안한 『슬픈 카페의 노래(The Ballad of the Sad Cafe)』, 『마오쩌둥 어록(Quotations From Chairman Mao Tse-Tung)』과 같이 순수하게 실험적인 작품까지, 다양한 형식의 실험적 극작기를 보냄.

1963년 10월 3일 브로드웨이 빌리 로즈 극장에서 「누가 버지니아 울프를 두려워하랴?」(유타 하겐, 아서 힐 주연)로 충격적인 반응과 대중적인 성공을 이끌어 냄. 664회의 공연 기록, 토니상 수상. 상업적으로 변질되던 브로드웨이 극장가에 부는 새로운 바람으로 평가되면서 미국의 주요 극작가로 자리매김. 엘리자베스 테일러와 리처드 버튼 주연의 영화로도 만들어져 세계적인 명성을 얻음.

1965년 양어머니 프란시스와 힘겹게 재회. 양아버지는 『누가 버지니아 울프를 두려워하랴?』 성공 직전에 사망. 『꼬마 앨리스(Tiny Alice)』 발표. 실제와 허상을 형이상학적으로 탐색한 이 작품은 신비적이고 종교적인 어투를 취하고 있으나, 극단적으로 종교인을 비판한다는 이유로 교단의 거센 항의를 받음.

1967년 에드워드 올비 재단 설립. 롱아일랜드에 극작가들이 자유롭게 작품 활동을 할 수 있는 여름 별장을 세움. 형이상학적인 객실극 『미묘한 균형(A Delicate Balance)』으로 퓰리처상 수상. 『미묘한 균형』은 『누가 버지니아 울프를 두려워하랴?』처럼 응접실을 주 무대로 불화를 겪는 두 부부를 보여 주고 있으나, 매우 사실주의적인 인물과 대화에 있을법하지 않는 사건과 표현주의적인 장치를 덧붙여, 이후 올비 극의 경향을 예고하는 작품이 됨.

1971년 『끝장(All Over)』 발표. "죽음과 노화 과정에 대한 냉정한 시선"이라는 평가를 받음.

1970년대 전반기는 알코올 의존증과 과세 미납으로 인해 어렵게 보내고, 이후 1990년대 초반까지 극작 활동이 위축되면서 전과 같은 뜨거운 반응을 얻지 못함.

1975년 『바닷가 풍경(Seascape)』으로 뉴욕 평단의 호평을 받음. 롱아일랜드 몬탁 해변에서 만난 두 쌍이 사랑과 관계, 진화에 대해 토론하는 내용으로, 한 쌍은 사람, 다른 한 쌍은 양서류인 도마뱀으로 설정된 실험적이고 표현주의적인 드라마. 두 번째 퓰리처상 수상.

1980년 죽음에 대한 우화적인 작품인 『더뷰크에서 온 여인(The Lady from Dubuque)』 발표.

1983년 가톨릭교회와 스타 중심주의를 비판하는 『팔 셋

달린 남자(The Man Who Had Three Arms)』 발표.
1980년대 후반에서 2000년까지 뉴욕 글쓰기 워크숍과 휴스턴 대학교에서 극작을 강의하면서, 상업주의적 요구에 반대하는 글을 쓸 것을 후학들에게 촉구.

1994년 『키 큰 세 여자(Three Tall Women)』로 화려하게 재기. 생명력 넘치고 지배욕 강했던 자신의 양어머니 프랜시스의 모습을 극 속에서 살려 내면서, 비로소 그녀와 화해했음을 보여 줌.

1998년 표현주의적인 에덴동산을 배경으로 상처와 고통의 의미를 묻는 『아기에 대한 연극(The Play about the Baby)』 발표.

2002년 『염소 혹은 실비아는 누구인가?(The Goat or Who Is Sylvia?)』 발표. 중년의 유부남 건축가가 '실비아'라는 이름의 염소와 사랑에 빠진다는 내용으로, 자유주의 사회의 도덕적 경계가 어디까지인지 탐색한 작품. 브로드웨이에서 309회 공연 기록.

2004~2005년 「누가 버지니아 울프를 두려워하랴?」가 브로드웨이에서 리바이벌되면서 올비에 대한 재평가가 이루어짐. 평생에 걸친 극작가의 업적을 기념하는 토니상 특별상 수상.

세계문학전집 247

누가 버지니아 울프를 두려워하랴?

1판 1쇄 펴냄 2010년 5월 31일
1판 14쇄 펴냄 2022년 2월 3일

지은이 에드워드 올비
옮긴이 강유나
발행인 박근섭, 박상준
펴낸곳 (주)민음사

출판등록 1966. 5. 19. (제 16-490호)
서울특별시 강남구 도산대로1길 62(신사동) 강남출판문화센터 5층 (우편번호 06027)
대표전화 02-515-2000 팩시밀리 02-515-2007
www.minumsa.com

ISBN 978-89-374-6247-4 04800
ISBN 978-89-374-6000-5 (세트)

민음사 세계문학전집

세계문학전집 목록

1·2 **변신 이야기** 오비디우스 · 이윤기 옮김 서울대 권장도서 100선

3 **햄릿** 셰익스피어 · 최종철 옮김 서울대 권장도서 100선 | 미국대학위원회 선정 SAT 추천도서

4 **변신 · 시골의사** 카프카 · 전영애 옮김 서울대 권장도서 100선 | 미국대학위원회 선정 SAT 추천도서 | 논술 및 수능에 출제된 책(1998~2005)

5 **동물농장** 오웰 · 도정일 옮김 미국대학위원회 선정 SAT 추천도서 | 《타임》 선정 현대 100대 영문소설

6 **허클베리 핀의 모험** 트웨인 · 김욱동 옮김 《뉴스위크》 선정 100대 명저

7 **암흑의 핵심** 콘래드 · 이상옥 옮김 미국대학위원회 선정 SAT 추천도서 | 《뉴스위크》 선정 10대 명저

8 **토니오 크뢰거 · 트리스탄 · 베니스에서의 죽음** 토마스 만 · 안삼환 외 옮김 노벨 문학상 수상 작가

9 **문학이란 무엇인가** 사르트르 · 정명환 옮김

10 **한국단편문학선 1** 김동인 외 · 이남호 엮음 국립중앙도서관 선정 청소년 권장도서

11·12 **인간의 굴레에서** 서머싯 몸 · 송무 옮김

13 **이반 데니소비치, 수용소의 하루** 솔제니친 · 이영의 옮김 노벨 문학상 수상 작가

14 **너새니얼 호손 단편선** 호손 · 천승걸 옮김

15 **나의 미카엘** 오즈 · 최창모 옮김

16·17 **중국신화전설** 위앤커 · 전인초, 김선자 옮김

18 **고리오 영감** 발자크 · 박영근 옮김

19 **파리대왕** 골딩 · 유종호 옮김 노벨 문학상 수상 작가 | 《타임》 선정 현대 100대 영문소설

20 **한국단편문학선 2** 김동리 외 · 이남호 엮음

21·22 **파우스트** 괴테 · 정서웅 옮김 서울대 권장도서 100선 | 미국대학위원회 선정 SAT 추천도서

23·24 **빌헬름 마이스터의 수업시대** 괴테 · 안삼환 옮김

25 **젊은 베르테르의 슬픔** 괴테 · 박찬기 옮김 논술 및 수능에 출제된 책(1998~2005)

26 **이피게니에 · 스텔라** 괴테 · 박찬기 외 옮김

27 **다섯째 아이** 레싱 · 정덕애 옮김 노벨 문학상 수상 작가

28 **삶의 한가운데** 린저 · 박찬일 옮김

29 **농담** 쿤데라 · 방미경 옮김

30 **야성의 부름** 런던 · 권택영 옮김

31 **아메리칸** 제임스 · 최경도 옮김

32·33 **양철북** 그라스 · 장희창 옮김 노벨 문학상 수상 작가 | 서울대 권장도서 100선

34·35 **백년의 고독** 마르케스 · 조구호 옮김 노벨 문학상 수상 작가 | 서울대 권장도서 100선

36 **마담 보바리** 플로베르 · 김화영 옮김 서울대 권장도서 100선

37 **거미여인의 키스** 푸익 · 송병선 옮김

38 **달과 6펜스** 서머싯 몸 · 송무 옮김

39 **폴란드의 풍차** 지오노 · 박인철 옮김

40·41 **독일어 시간** 렌츠 · 정서웅 옮김

42 **말테의 수기** 릴케 · 문현미 옮김

43 **고도를 기다리며** 베케트 · 오증자 옮김 노벨 문학상 수상 작가 | 서울대 권장도서 100선

44 데미안 헤세 · 전영애 옮김 노벨 문학상 수상 작가
45 젊은 예술가의 초상 조이스 · 이상옥 옮김 서울대 권장도서 100선
46 카탈로니아 찬가 오웰 · 정영목 옮김
47 호밀밭의 파수꾼 샐린저 · 공경희 옮김 《타임》 선정 현대 100대 영문소설 | 미국대학위원회 선정 SAT 추천도서 | 《뉴스위크》 선정 100대 명저 | BBC 선정 꼭 읽어야 할 책
48·49 파르마의 수도원 스탕달 · 원윤수, 임미경 옮김
50 수레바퀴 아래서 헤세 · 김이섭 옮김 노벨 문학상 수상 작가 | 국립중앙도서관 선정 청소년 권장도서
51·52 내 이름은 빨강 파묵 · 이난아 옮김 노벨 문학상 수상 작가
53 오셀로 셰익스피어 · 최종철 옮김 서울대 권장도서 100선
54 조서 르 클레지오 · 김윤진 옮김 노벨 문학상 수상 작가
55 모래의 여자 아베 코보 · 김난주 옮김
56·57 부덴브로크 가의 사람들 토마스 만 · 홍성광 옮김 노벨 문학상 수상 작가
58 싯다르타 헤세 · 박병덕 옮김 노벨 문학상 수상 작가
59·60 아들과 연인 로렌스 · 정상준 옮김 《뉴스위크》 선정 100대 명저
61 설국 가와바타 야스나리 · 유숙자 옮김 노벨 문학상 수상 작가 | 서울대 권장도서 100선
62 벨킨 이야기 · 스페이드 여왕 푸슈킨 · 최선 옮김
63·64 넙치 그라스 · 김재혁 옮김 노벨 문학상 수상 작가
65 소망 없는 불행 한트케 · 윤용호 옮김 노벨 문학상 수상 작가
66 나르치스와 골드문트 헤세 · 임홍배 옮김 노벨 문학상 수상 작가
67 황야의 이리 헤세 · 김누리 옮김 노벨 문학상 수상 작가
68 뻬쩨르부르그 이야기 고골 · 조주관 옮김
69 밤으로의 긴 여로 오닐 · 민승남 옮김 노벨 문학상 수상 작가 | 미국대학위원회 선정 SAT 추천도서
70 체호프 단편선 체호프 · 박현섭 옮김
71 버스 정류장 가오싱젠 · 오수경 옮김 노벨 문학상 수상 작가
72 구운몽 김만중 · 송성욱 옮김 서울대 권장도서 100선 | 국립중앙도서관 선정 청소년 권장도서
73 대머리 여가수 이오네스코 · 오세곤 옮김
74 이솝 우화집 이솝 · 유종호 옮김 논술 및 수능에 출제된 책(1998~2005)
75 위대한 개츠비 피츠제럴드 · 김욱동 옮김 《타임》 선정 현대 100대 영문소설
76 푸른 꽃 노발리스 · 김재혁 옮김
77 1984 오웰 · 정회성 옮김 《타임》 선정 현대 100대 영문소설 | 《뉴스위크》 선정 100대 명저
78·79 영혼의 집 아옌데 · 권미선 옮김
80 첫사랑 투르게네프 · 이항재 옮김
81 내가 죽어 누워 있을 때 포크너 · 김명주 옮김 노벨 문학상 수상 작가
82 런던 스케치 레싱 · 서숙 옮김 노벨 문학상 수상 작가
83 팡세 파스칼 · 이환 옮김
84 질투 로브그리예 · 박이문, 박희원 옮김
85·86 채털리 부인의 연인 로렌스 · 이인규 옮김
87 그 후 나쓰메 소세키 · 윤상인 옮김
88 오만과 편견 오스틴 · 윤지관, 전승희 옮김 미국대학위원회 선정 SAT 추천도서
89·90 부활 톨스토이 · 연진희 옮김 논술 및 수능에 출제된 책(1998~2005)
91 방드르디, 태평양의 끝 투르니에 · 김화영 옮김
92 미겔 스트리트 나이폴 · 이상옥 옮김 노벨 문학상 수상 작가

93 **뻬드로 빠라모** 룰포 · 정창 옮김

94 **차라투스트라는 이렇게 말했다** 니체 · 장희창 옮김 국립중앙도서관 선정 청소년 권장도서

95·96 **적과 흑** 스탕달 · 이동렬 옮김 국립중앙도서관 선정 청소년 권장도서

97·98 **콜레라 시대의 사랑** 마르케스 · 송병선 옮김 노벨 문학상 수상 작가 | BBC 선정 꼭 읽어야 할 책

99 **맥베스** 셰익스피어 · 최종철 옮김 서울대 권장도서 100선 | 미국대학위원회 선정 SAT 추천도서

100 **춘향전** 작자 미상 · 송성욱 풀어 옮김 서울대 권장도서 100선

101 **페르디두르케** 곰브로비치 · 윤진 옮김

102 **포르노그라피아** 곰브로비치 · 임미경 옮김

103 **인간 실격** 다자이 오사무 · 김춘미 옮김

104 **네루다의 우편배달부** 스카르메타 · 우석균 옮김

105·106 **이탈리아 기행** 괴테 · 박찬기 외 옮김

107 **나무 위의 남작** 칼비노 · 이현경 옮김

108 **달콤 쌉싸름한 초콜릿** 에스키벨 · 권미선 옮김

109·110 **제인 에어** C. 브론테 · 유종호 옮김 미국대학위원회 선정 SAT 추천도서 | BBC 선정 꼭 읽어야 할 책

111 **크눌프** 헤세 · 이노은 옮김 노벨 문학상 수상 작가

112 **시계태엽 오렌지** 버지스 · 박시영 옮김 《타임》 선정 현대 100대 영문소설 | 《뉴스위크》 선정 100대 명저

113·114 **파리의 노트르담** 위고 · 정기수 옮김 미국대학위원회 선정 SAT 추천도서

115 **새로운 인생** 단테 · 박우수 옮김

116·117 **로드 짐** 콘래드 · 이상옥 옮김 《뉴스위크》 선정 100대 명저

118 **폭풍의 언덕** E. 브론테 · 김종길 옮김 미국대학위원회 선정 SAT 추천도서

119 **텔크테에서의 만남** 그라스 · 안삼환 옮김 노벨 문학상 수상 작가

120 **검찰관** 고골 · 조주관 옮김

121 **안개** 우나무노 · 조민현 옮김

122 **나사의 회전** 제임스 · 최경도 옮김 미국대학위원회 선정 SAT 추천도서

123 **피츠제럴드 단편선 1** 피츠제럴드 · 김욱동 옮김

124 **목화밭의 고독 속에서** 콜테스 · 임수현 옮김

125 **돼지꿈** 황석영

126 **라셀라스** 존슨 · 이인규 옮김

127 **리어 왕** 셰익스피어 · 최종철 옮김 서울대 권장도서 100선 | 논술 및 수능에 출제된 책(1998~2005) | 《뉴스위크》 선정 100대 명저

128·129 **쿠오 바디스** 시엔키에비츠 · 최성은 옮김 노벨 문학상 수상 작가

130 **자기만의 방** 울프 · 이미애 옮김

131 **시르트의 바닷가** 그라크 · 송진석 옮김

132 **이성과 감성** 오스틴 · 윤지관 옮김

133 **바덴바덴에서의 여름** 치프킨 · 이장욱 옮김

134 **새로운 인생** 파묵 · 이난아 옮김 노벨 문학상 수상 작가

135·136 **무지개** 로렌스 · 김정매 옮김

137 **인생의 베일** 서머싯 몸 · 황소연 옮김

138 **보이지 않는 도시들** 칼비노 · 이현경 옮김

139·140·141 **연초 도매상** 바스 · 이운경 옮김 《타임》 선정 현대 100대 영문소설

142·143 **플로스 강의 물방앗간** 엘리엇 · 한애경, 이봉지 옮김 미국대학위원회 선정 SAT 추천도서

144 연인 뒤라스 · 김인환 옮김

145·146 이름 없는 주드 하디 · 정종화 옮김

147 제49호 품목의 경매 핀천 · 김성곤 옮김 《타임》 선정 현대 100대 영문소설 | 미국대학위원회 선정 SAT 추천도서

148 성역 포크너 · 이진준 옮김 노벨 문학상 수상 작가 | 퓰리처상 수상 작가

149 무진기행 김승옥

150·151·152 신곡(지옥편 · 연옥편 · 천국편) 단테 · 박상진 옮김 서울대 권장도서 100선 | 미국대학위원회 선정 SAT 추천도서 | 국립중앙도서관 선정 청소년 권장도서 | 《뉴스위크》 선정 100대 명저

153 구덩이 플라토노프 · 정보라 옮김

154·155·156 카라마조프가의 형제들 도스토옙스키 · 김연경 옮김 서울대 권장도서 100선 | 국립중앙도서관 선정 청소년 권장도서

157 지상의 양식 지드 · 김화영 옮김 노벨 문학상 수상 작가

158 밤의 군대들 메일러 · 권택영 옮김 퓰리처상 수상 작가

159 주홍 글자 호손 · 김욱동 옮김 서울대 권장도서 100선 | 미국대학위원회 선정 SAT 추천도서

160 깊은 강 엔도 슈사쿠 · 유숙자 옮김

161 욕망이라는 이름의 전차 윌리엄스 · 김소임 옮김

162 마사 퀘스트 레싱 · 나영균 옮김 노벨 문학상 수상 작가

163·164 운명의 딸 아옌데 · 권미선 옮김

165 모렐의 발명 비오이 카사레스 · 송병선 옮김

166 삼국유사 일연 · 김원중 옮김 서울대 권장도서 100선

167 풀잎은 노래한다 레싱 · 이태동 옮김 노벨 문학상 수상 작가

168 파리의 우울 보들레르 · 윤영애 옮김

169 포스트맨은 벨을 두 번 울린다 케인 · 이만식 옮김

170 썩은 잎 마르케스 · 송병선 옮김 노벨 문학상 수상 작가

171 모든 것이 산산이 부서지다 아체베 · 조규형 옮김 《타임》 선정 현대 100대 영문소설 | 《뉴스위크》 선정 100대 명저

172 한여름 밤의 꿈 셰익스피어 · 최종철 옮김 미국대학위원회 선정 SAT 추천도서

173 로미오와 줄리엣 셰익스피어 · 최종철 옮김 미국대학위원회 선정 SAT 추천도서

174·175 분노의 포도 스타인벡 · 김승욱 옮김 노벨 문학상 수상 작가 | 《타임》 선정 현대 100대 영문소설

176·177 괴테와의 대화 에커만 · 장희창 옮김

178 그물을 헤치고 머독 · 유종호 옮김 《타임》 선정 현대 100대 영문소설

179 브람스를 좋아하세요... 사강 · 김남주 옮김

180 카타리나 블룸의 잃어버린 명예 하인리히 뵐 · 김연수 옮김 노벨 문학상 수상 작가

181·182 에덴의 동쪽 스타인벡 · 정회성 옮김 노벨 문학상 수상 작가

183 순수의 시대 워튼 · 송은주 옮김 《뉴스위크》 선정 100대 명저 | 퓰리처상 수상작

184 도둑 일기 주네 · 박형섭 옮김

185 나자 브르통 · 오생근 옮김

186·187 캐치-22 헬러 · 안정효 옮김 《타임》 선정 현대 100대 영문소설 | 《뉴스위크》 선정 100대 명저 | BBC 선정 꼭 읽어야 할 책

188 숄로호프 단편선 숄로호프 · 이항재 옮김 노벨 문학상 수상 작가

189 말 사르트르 · 정명환 옮김

190·191 보이지 않는 인간 엘리슨 · 조영환 옮김 《타임》 선정 현대 100대 영문소설 | 미국대학위원

회 선정 SAT 추천도서 | 《뉴스위크》 선정 100대 명저

192 왑샷 가문 연대기 치버 · 김승욱 옮김 퓰리처상 수상 작가

193 왑샷 가문 몰락기 치버 · 김승욱 옮김 퓰리처상 수상 작가

194 필립과 다른 사람들 노터봄 · 지명숙 옮김

195·196 하드리아누스 황제의 회상록 유르스나르 · 곽광수 옮김

197·198 소피의 선택 스타이런 · 한정아 옮김 퓰리처상 수상 작가

199 피츠제럴드 단편선 2 피츠제럴드 · 한은경 옮김

200 홍길동전 허균 · 김탁환 옮김

201 요술 부지깽이 쿠버 · 양윤희 옮김

202 북호텔 다비 · 원윤수 옮김

203 톰 소여의 모험 트웨인 · 김욱동 옮김

204 금오신화 김시습 · 이지하 옮김

205·206 테스 하디 · 정종화 옮김 미국대학위원회 선정 SAT 추천도서 | BBC 선정 꼭 읽어야 할 책

207 브루스터플레이스의 여자들 네일러 · 이소영 옮김

208 더 이상 평안은 없다 아체베 · 이소영 옮김

209 그레인지 코플랜드의 세 번째 인생 워커 · 김시현 옮김 퓰리처상 수상 작가

210 어느 시골 신부의 일기 베르나노스 · 정영란 옮김

211 타라스 불바 고골 · 조주관 옮김

212·213 위대한 유산 디킨스 · 이인규 옮김 서울대 권장도서 100선 | BBC 선정 꼭 읽어야 할 책

214 면도날 서머싯 몸 · 안진환 옮김

215·216 성채 크로닌 · 이은정 옮김

217 오이디푸스 왕 소포클레스 · 강대진 옮김 서울대 권장도서 100선 | 미국대학위원회 선정 SAT 추천도서

218 세일즈맨의 죽음 밀러 · 강유나 옮김

219·220·221 안나 카레니나 톨스토이 · 연진희 옮김 서울대 권장도서 100선

222 오스카 와일드 작품선 와일드 · 정영목 옮김

223 벨아미 모파상 · 송덕호 옮김

224 파스쿠알 두아르테 가족 호세 셀라 · 정동섭 옮김 노벨 문학상 수상 작가

225 시칠리아에서의 대화 비토리니 · 김운찬 옮김

226·227 길 위에서 케루악 · 이만식 옮김 《타임》 선정 현대 100대 영문소설 | 《뉴스위크》 선정 100대 명저

228 우리 시대의 영웅 레르몬토프 · 오정미 옮김

229 아우라 푸엔테스 · 송상기 옮김

230 클링조어의 마지막 여름 헤세 · 황승환 옮김 노벨 문학상 수상 작가

231 리스본의 겨울 무뇨스 몰리나 · 나송주 옮김

232 뻐꾸기 둥지 위로 날아간 새 키지 · 정회성 옮김 《타임》 선정 현대 100대 영문소설 | 《뉴스위크》 선정 100대 명저

233 페널티킥 앞에 선 골키퍼의 불안 한트케 · 윤용호 옮김 노벨 문학상 수상 작가

234 참을 수 없는 존재의 가벼움 쿤데라 · 이재룡 옮김

235·236 바다여, 바다여 머독 · 최옥영 옮김

237 한 줌의 먼지 에벌린 워 · 안진환 옮김 《타임》 선정 현대 100대 영문소설

238 뜨거운 양철 지붕 위의 고양이 · 유리 동물원 윌리엄스 · 김소임 옮김 퓰리처상 수상작

239 지하로부터의 수기 도스토옙스키 · 김연경 옮김

240 **키메라** 바스 · 이운경 옮김
241 **반쪼가리 자작** 칼비노 · 이현경 옮김
242 **벌집** 호세 셀라 · 남진희 옮김 노벨 문학상 수상 작가
243 **불멸** 쿤데라 · 김병욱 옮김
244·245 **파우스트 박사** 토마스 만 · 임홍배, 박병덕 옮김 노벨 문학상 수상 작가
246 **사랑할 때와 죽을 때** 레마르크 · 장희창 옮김
247 **누가 버지니아 울프를 두려워하랴?** 올비 · 강유나 옮김
248 **인형의 집** 입센 · 안미란 옮김
249 **위폐범들** 지드 · 원윤수 옮김 노벨 문학상 수상 작가
250 **무정** 이광수 · 정영훈 책임 편집 서울대 권장도서 100선
251·252 **의지와 운명** 푸엔테스 · 김현철 옮김
253 **폭력적인 삶** 파솔리니 · 이승수 옮김
254 **거장과 마르가리타** 불가코프 · 정보라 옮김
255·256 **경이로운 도시** 멘도사 · 김현철 옮김
257 **야콥을 둘러싼 추측들** 욘존 · 손대영 옮김
258 **왕자와 거지** 트웨인 · 김욱동 옮김
259 **존재하지 않는 기사** 칼비노 · 이현경 옮김
260·261 **눈먼 암살자** 애트우드 · 차은정 옮김 《타임》 선정 현대 100대 영문소설
262 **베니스의 상인** 셰익스피어 · 최종철 옮김
263 **말리나** 바흐만 · 남정애 옮김
264 **사볼타 사건의 진실** 멘도사 · 권미선 옮김
265 **뒤렌마트 희곡선** 뒤렌마트 · 김혜숙 옮김
266 **이방인** 카뮈 · 김화영 옮김 노벨 문학상 수상 작가 | 미국대학위원회 선정 SAT 추천도서
267 **페스트** 카뮈 · 김화영 옮김 노벨 문학상 수상 작가 | 국립중앙도서관 선정 청소년 권장도서
268 **검은 튤립** 뒤마 · 송진석 옮김
269·270 **베를린 알렉산더 광장** 되블린 · 김재혁 옮김
271 **하얀 성** 파묵 · 이난아 옮김 노벨 문학상 수상 작가
272 **푸슈킨 선집** 푸슈킨 · 최선 옮김
273·274 **유리알 유희** 헤세 · 이영임 옮김 노벨 문학상 수상 작가
275 **픽션들** 보르헤스 · 송병선 옮김 서울대 권장도서 100선
276 **신의 화살** 아체베 · 이소영 옮김
277 **빌헬름 텔 · 간계와 사랑** 실러 · 홍성광 옮김
278 **노인과 바다** 헤밍웨이 · 김욱동 옮김 노벨 문학상 수상 작가 | 퓰리처상 수상작
279 **무기여 잘 있어라** 헤밍웨이 · 김욱동 옮김 미국대학위원회 선정 SAT 추천도서
280 **태양은 다시 떠오른다** 헤밍웨이 · 김욱동 옮김 《타임》 선정 현대 100대 영문 소설
281 **알레프** 보르헤스 · 송병선 옮김
282 **일곱 박공의 집** 호손 · 정소영 옮김
283 **에마** 오스틴 · 윤지관, 김영희 옮김
284·285 **죄와 벌** 도스토옙스키 · 김연경 옮김 미국대학위원회 선정 SAT 추천도서
286 **시련** 밀러 · 최영 옮김
287 **모두가 나의 아들** 밀러 · 최영 옮김
288·289 **누구를 위하여 종은 울리나** 헤밍웨이 · 김욱동 옮김 노벨 문학상 수상 작가 | 《뉴스위

290 **구르브 연락 없다** 멘도사 · 정창 옮김
291·292·293 **데카메론** 보카치오 · 박상진 옮김
294 **나누어진 하늘** 볼프 · 전영애 옮김
295·296 **제브데트 씨와 아들들** 파묵 · 이난아 옮김 노벨 문학상 수상 작가
297·298 **여인의 초상** 제임스 · 최경도 옮김 미국대학위원회 선정 SAT 추천도서
299 **압살롬, 압살롬!** 포크너 · 이태동 옮김 노벨 문학상 수상 작가
300 **이상 소설 전집** 이상 · 권영민 책임 편집
301·302·303·304·305 **레 미제라블** 위고 · 정기수 옮김
306 **관객모독** 한트케 · 윤용호 옮김 노벨 문학상 수상 작가
307 **더블린 사람들** 조이스 · 이종일 옮김
308 **에드거 앨런 포 단편선** 앨런 포 · 전승희 옮김 미국대학위원회 선정 SAT 추천도서
309 **보이체크 · 당통의 죽음** 뷔히너 · 홍성광 옮김
310 **노르웨이의 숲** 무라카미 하루키 · 양억관 옮김
311 **운명론자 자크와 그의 주인** 디드로 · 김희영 옮김
312·313 **헤밍웨이 단편선** 헤밍웨이 · 김욱동 옮김 노벨 문학상 수상 작가
314 **피라미드** 골딩 · 안지현 옮김 노벨 문학상 수상 작가
315 **닫힌 방 · 악마와 선한 신** 사르트르 · 지영래 옮김
316 **등대로** 울프 · 이미애 옮김 《타임》 선정 현대 100대 영문소설 | 《뉴스위크》 선정 100대 명저
317·318 **한국 희곡선** 송영 외 · 양승국 엮음
319 **여자의 일생** 모파상 · 이동렬 옮김
320 **의식** 노터봄 · 김영중 옮김
321 **육체의 악마** 라디게 · 원윤수 옮김
322·323 **감정 교육** 플로베르 · 지영화 옮김
324 **불타는 평원** 룰포 · 정창 옮김
325 **위대한 몬느** 알랭푸르니에 · 박영근 옮김
326 **라쇼몬** 아쿠타가와 류노스케 · 서은혜 옮김
327 **반바지 당나귀** 보스코 · 정영란 옮김
328 **정복자들** 말로 · 최윤주 옮김
329·330 **우리 동네 아이들** 마흐푸즈 · 배혜경 옮김 노벨 문학상 수상 작가
331·332 **개선문** 레마르크 · 장희창 옮김
333 **사바나의 개미 언덕** 아체베 · 이소영 옮김
334 **게걸음으로** 그라스 · 장희창 옮김 노벨 문학상 수상 작가
335 **코스모스** 곰브로비치 · 최성은 옮김
336 **좁은 문 · 전원교향곡 · 배덕자** 지드 · 동성식 옮김 노벨 문학상 수상 작가
337·338 **암 병동** 솔제니친 · 이영의 옮김 노벨 문학상 수상 작가
339 **피의 꽃잎들** 응구기 와 시옹오 · 왕은철 옮김
340 **운명** 케르테스 · 유진일 옮김 노벨 문학상 수상 작가
341·342 **벌거벗은 자와 죽은 자** 메일러 · 이운경 옮김 퓰리처상 수상 작가
343 **시지프 신화** 카뮈 · 김화영 옮김 노벨 문학상 수상 작가
344 **뇌우** 차오위 · 오수경 옮김
345 **모옌 중단편선** 모옌 · 심규호, 유소영 옮김 노벨 문학상 수상 작가

346 **일야서** 한사오궁 · 심규호, 유소영 옮김
347 **상속자들** 골딩 · 안지현 옮김 노벨 문학상 수상 작가
348 **설득** 오스틴 · 전승희 옮김
349 **히로시마 내 사랑** 뒤라스 · 방미경 옮김
350 **오 헨리 단편선** 오 헨리 · 김희용 옮김
351·352 **올리버 트위스트** 디킨스 · 이인규 옮김
353·354·355·356 **전쟁과 평화** 톨스토이 · 연진희 옮김
357 **다시 찾은 브라이즈헤드** 에벌린 워 · 백지민 옮김
358 **아무도 대령에게 편지하지 않다** 마르케스 · 송병선 옮김
359 **사양** 다자이 오사무 · 유숙자 옮김
360 **좌절** 케르테스 · 한경민 옮김 노벨 문학상 수상 작가
361·362 **닥터 지바고** 파스테르나크 · 김연경 옮김 노벨 문학상 수상 작가
363 **노생거 사원** 오스틴 · 윤지관 옮김
364 **개구리** 모옌 · 심규호, 유소영 옮김 노벨 문학상 수상 작가
365 **마왕** 투르니에 · 이원복 옮김 공쿠르상 수상 작가
366 **맨스필드 파크** 오스틴 · 김영희 옮김
367 **이선 프롬** 이디스 워튼 · 김욱동 옮김 퓰리처상 수상 작가
368 **여름** 이디스 워튼 · 김욱동 옮김 퓰리처상 수상 작가
369·370·371 **나는 고백한다** 자우메 카브레 · 권가람 옮김
372·373·374 **태엽 감는 새 연대기** 무라카미 하루키 · 김연경 옮김
375·376 **대사들** 제임스 · 정소영 옮김
377 **족장의 가을** 마르케스 · 송병선 옮김 노벨 문학상 수상 작가
378 **핏빛 자오선** 매카시 · 김시현 옮김
379 **모두 다 예쁜 말들** 매카시 · 김시현 옮김
380 **국경을 넘어** 매카시 · 김시현 옮김
381 **평원의 도시들** 매카시 · 김시현 옮김
382 **만년** 다자이 오사무 · 유숙자 옮김
383 **반항하는 인간** 카뮈 · 김화영 옮김 노벨 문학상 수상 작가
384·385·386 **악령** 도스토옙스키 · 김연경 옮김
387 **태평양을 막는 제방** 뒤라스 · 윤진 옮김
388 **남아 있는 나날** 가즈오 이시구로 · 송은경 옮김
389 **앙리 브륄라르의 생애** 스탕달 · 원윤수 옮김
390 **찻집** 라오서 · 오수경 옮김
391 **태어나지 않은 아이를 위한 기도** 케르테스 · 이상동 옮김 노벨 문학상 수상 작가
392 **서머싯 몸 단편선 1** 서머싯 몸 · 황소연 옮김
393 **서머싯 몸 단편선 2** 서머싯 몸 · 황소연 옮김
394 **케이크와 맥주** 서머싯 몸 · 황소연 옮김
395 **월든** 소로 · 정회성 옮김
396 **모래 사나이** E. T. A. 호프만 · 신동화 옮김
397·398 **검은 책** 오르한 파묵 · 이난아 옮김 노벨 문학상 수상 작가
399 **방랑자들** 올가 토카르추크 · 최성은 옮김 노벨 문학상 수상 작가
400 **시여, 침을 뱉어라** 김수영 · 이영준 엮음

세계문학전집은 계속 간행됩니다.